は　じ　め　に

技能検定は、労働者の有する技能を一定の基準によって検定し、これを公証する国家検定制度であり、技能に対する社会一般の評価を高め、働く人々の技能と地位の向上を図ることを目的として、職業能力開発促進法に基づいて1959年（昭和34年）から実施されています。

当研究会では、1975年（昭和50年）から技能検定試験受検者の学習に資するため、過去に出題された学科試験問題（1・2級）に解説を付して、「学科試験問題解説集」を発行しております。

このたびさらに、令和3・4・5年度に出題された学科試験問題、ならびに令和5年度の実技試験問題（真空成形作業の計画立案等作業試験は令和3・4・5年度を収録）を「技能検定試験問題集（正解表付き）」として発行することになりました。

本問題集が1級・2級の技能士を目指して技能検定試験を受検される多くの方々にご利用いただき、大きな成果が上がることを祈念いたします。

令和6年4月

一般社団法人 雇用問題研究会

目　　次

はじめに
技能検定の概要 …… 5
技能検定の受検に必要な実務経験年数一覧 …… 8
都道府県及び中央職業能力開発協会所在地一覧 …… 9

【プラスチック成形】
Ⅰ　実技試験問題（令和５年度）
　１　射出成形作業
　　２級 …… 12
　　１級 …… 19
　２　インフレーション成形作業
　　２級 …… 26
　　１級 …… 32
　３　真空成形作業
　　２級　令和５年度　問題概要 …… 39
　　　　　　　　　　　計画立案等作業試験 …… 40
　　　　　令和４年度　計画立案等作業試験 …… 48
　　　　　令和３年度　計画立案等作業試験 …… 56
　　１級　令和５年度　問題概要 …… 64
　　　　　　　　　　　計画立案等作業試験 …… 65
　　　　　令和４年度　計画立案等作業試験 …… 75
　　　　　令和３年度　計画立案等作業試験 …… 85

Ⅱ　学科試験問題
　１　射出成形作業
　　２級　令和５年度 …… 96
　　　　　令和４年度 …… 105
　　　　　令和３年度 …… 113
　　１級　令和５年度 …… 120
　　　　　令和４年度 …… 128
　　　　　令和３年度 …… 136

2　インフレーション成形作業
２級　令和５年度 …… 144
令和４年度 …… 152
令和３年度 …… 160
１級　令和５年度 …… 167
令和４年度 …… 175
令和３年度 …… 183
3　真空成形作業
２級　令和５年度 …… 191
令和４年度 …… 199
令和３年度 …… 207
１級　令和５年度 …… 216
令和４年度 …… 225
令和３年度 …… 235

Ⅲ　正解表
実技 …… 246
学科 …… 252

技能検定の概要

1　技能検定試験の等級区分

技能検定試験は合格に必要な技能の程度を等級ごとに次のとおりに区分しています。

特　　級：検定職種ごとの管理者又は監督者が通常有すべき技能及びこれに関する知識の程度

1　　級：検定職種ごとの上級の技能労働者が通常有すべき技能及びこれに関する知識の程度

2　　級：検定職種ごとの中級の技能労働者が通常有すべき技能及びこれに関する知識の程度

3　　級：検定職種ごとの初級の技能労働者が通常有すべき技能及びこれに関する知識の程度

単一等級：検定職種ごとの上級の技能労働者が通常有すべき技能及びこれに関する知識の程度

※これらの他に外国人実習生等を対象とした基礎級があります。

2　検定試験の基準

技能検定は、実技試験及び学科試験によって行われています。

実技試験は、実際に作業などを行わせて、その技量の程度を検定する試験であり、学科試験は、技能の裏付けとなる知識について行う試験です。

実技試験及び学科試験は、検定職種の等級ごとに、それぞれの試験科目及びその範囲が職業能力開発促進法施行規則により、また、その具体的な細目が厚生労働省人材開発統括官通知により定められています。

(1)　実技試験

実技試験は、実際に作業（物の製作、組立て、調整など）を行わせて試験する、製作等作業試験が中心となっており、検定職種の大部分のものについては、その課題が試験日に先立って公表されています。

試験時間は、１級、２級及び単一等級については原則として５時間以内、３級については３時間以内が標準となっています。

また、検定職種によっては、製作等作業試験の他、実際的な能力を試験するため、次のような判断等試験又は計画立案等作業試験が併用されることがあります。

① 判断等試験

判断等試験は、製作等作業試験のみでは技能評価が困難な場合又は検定職種の性格や試験実施技術等の事情により製作等作業試験の実施が困難な場合に用いられるもので、例えば技能者として体得していなければならない基本的な技能について、原材料、模型、写真などを受検者に提示し、判別、判断などを行わせ、その技能を評価する試験です。

② 計画立案等作業試験

製作等作業試験、判断等試験の一方又は双方でも技能評価が不足する場合に用いられるもので、現場における実際的、応用的な課題を、表、グラフ、文章などにより設問したものを受検者に提示し、計算、計画立案、予測などを行わせることにより技能の程度を評価する試験です。

(2) 学科試験

学科試験は、単に学問的な知識を試験するものではなく、作業の遂行に必要な正しい判断力及び知識の有無を判定することに主眼がおかれています。また、それぞれの等級における試験の概要は次表のとおりです。

この中で、真偽法は一つの問題文の正誤を解答する形式であり、五肢択一法及び四肢択一法は一つの問題文について複数の選択肢の中から一つを選択して解答する形式です。

■学科試験の概要

等級区分	試験の形式	問題数	試験時間
特　級	五肢択一法	50 題	2 時間
1　級	真偽法及び四肢択一法	50 題	1 時間 40 分
2　級	真偽法及び四肢択一法	50 題	1 時間 40 分
3　級	真偽法	30 題	1 時間
単一等級	真偽法及び四肢択一法	50 題	1 時間 40 分

3 技能検定の受検資格

技能検定を受検するには、原則として検定職種に関する実務の経験が必要で、その年数は職業訓練歴、学歴等により異なっています（別表1参照）。

この実務の経験の範囲には、現場での作業のみならず管理、監督、訓練、教育及び研究の業務や訓練又は教育を受けた期間が含まれます。

4　試験の実施日程

技能検定試験は職種ごとに前期、後期に分かれていますが、日程の概要は次のとおりです。

項	前　期	後　期
受付期間	4月上旬～中旬	10月上旬～中旬
実技試験	6月上旬～9月上旬 9月中旬～11月中旬※	12月上旬～翌年2月中旬
学科試験	8月下旬～9月上旬の日曜日 3級は7月上旬～中旬の日曜日	翌年1月下旬～2月上旬の日曜日
合格発表	10月上旬、3級は8月下旬 10月中旬～11月下旬※	翌年3月中旬

※暑熱対応のため延期する場合（造園職種・とび職種に限る）

・日程の詳細については都道府県職業能力開発協会（連絡先等は別表2参照）にお問い合わせ下さい。

5　技能検定の実施体制

技能検定は厚生労働大臣が定めた、実施計画に基づいて行うものですが、その実施業務は、厚生労働大臣、都道府県知事、中央職業能力開発協会、都道府県職業能力開発協会等の間で分担されており、受検の受付及び試験の実施については、都道府県職業能力開発協会が行っています。

6　技能検定試験受検手数料

技能検定試験の受検手数料は「実技試験：18,200円」及び「学科試験：3,100円」を標準額として、職種ごとに各都道府県で決定しています（令和6年4月1日現在、都道府県知事が実施する111職種）。

なお、25歳未満の在職者の方は、2級又は3級の実技試験の受検手数料が最大9,000円減額されます。詳しくは都道府県職業能力開発協会にお問い合わせ下さい。

7　技能検定の合格者

技能検定の合格者には、厚生労働大臣名（特級、1級、単一等級）又は都道府県知事名等（2級、3級）の合格証明が交付され、技能士と称することができます。

別表1

技能検定の受検に必要な実務経験年数一覧

（都道府県知事が実施する検定職種）

（単位：年）

<table>
<tr><th colspan="2" rowspan="2">受検対象者
（※1）</th><th>特級</th><th colspan="3">1　級</th><th colspan="2">2　級</th><th rowspan="2">3
級
（※6）</th><th rowspan="2">基礎級
（※6）</th><th rowspan="2">単一等級</th></tr>
<tr><th>1　級
合格後</th><th></th><th>2　級
合格後</th><th>3　級
合格後</th><th>（※6）</th><th>3　級
合格後</th></tr>
<tr><td colspan="2">実務経験のみ</td><td rowspan="15">5</td><td>7</td><td rowspan="10">2</td><td rowspan="10">4</td><td>2</td><td rowspan="13">0</td><td>0 ※7</td><td>0 ※7</td><td>3</td></tr>
<tr><td colspan="2">専門高校卒業　※2
専修学校（大学入学資格付与課程に限る）卒業</td><td>6</td><td>0</td><td>0</td><td>0</td><td>1</td></tr>
<tr><td colspan="2">短大・高専・高校専攻科卒業　※2
専門職大学前期課程修了
専修学校（大学編入資格付与課程に限る）卒業</td><td>5</td><td>0</td><td>0</td><td>0</td><td>0</td></tr>
<tr><td colspan="2">大学卒業（専門職大学前期課程修了者を除く）　※2
専修学校（大学院入学資格付与課程に限る）卒業</td><td>4</td><td>0</td><td>0</td><td>0</td><td>0</td></tr>
<tr><td rowspan="3">専修学校　※3
又は各種学校卒業
（厚生労働大臣が指定したものに限る。）</td><td>800時間以上</td><td>6</td><td>0</td><td>0 ※8</td><td>0 ※8</td><td>1</td></tr>
<tr><td>1600時間以上</td><td>5</td><td>0</td><td>0 ※8</td><td>0 ※8</td><td>1</td></tr>
<tr><td>3200時間以上</td><td>4</td><td>0</td><td>0 ※8</td><td>0 ※8</td><td>0</td></tr>
<tr><td>短期課程の普通職業訓練修了 ※4 ※9</td><td>700時間以上</td><td>6</td><td>0</td><td>0 ※5</td><td>0 ※5</td><td>1</td></tr>
<tr><td rowspan="2">普通課程の普通職業訓練修了 ※4 ※9</td><td>2800時間未満</td><td>5</td><td>0</td><td>0</td><td>0</td><td>1</td></tr>
<tr><td>2800時間以上</td><td>4</td><td>0</td><td>0</td><td>0</td><td>0</td></tr>
<tr><td colspan="2">専門課程又は特定専門課程の高度職業訓練修了 ※4 ※9</td><td>3</td><td>1</td><td>2</td><td>0</td><td>0</td><td>0</td><td>0</td></tr>
<tr><td colspan="2">応用課程又は特定応用課程の高度職業訓練修了 ※9</td><td colspan="3">1</td><td>0</td><td>0</td><td>0</td><td>0</td></tr>
<tr><td colspan="2">指導員養成課程の指導員養成訓練修了 ※9</td><td colspan="3">1</td><td>0</td><td>0</td><td>0</td><td>0</td></tr>
<tr><td colspan="2">職業訓練指導員免許取得</td><td colspan="3">1</td><td>—</td><td>—</td><td>—</td><td>—</td><td>0</td></tr>
<tr><td colspan="2">高度養成課程の指導員養成訓練修了 ※9</td><td colspan="3">0</td><td>0</td><td>0</td><td>0</td><td>0</td><td>0</td></tr>
</table>

※ 1：検定職種に関する学科、訓練科又は免許職種に限る。

※ 2：学校教育法による大学、短期大学又は高等学校と同等以上と認められる外国の学校又は他法令学校を卒業した者並びに独立行政法人大学改革支援・学位授与機構により学士の学位を授与された者は学校教育法に基づくそれぞれのものに準ずる。

※ 3：大学入学資格付与課程、大学編入資格付与課程及び大学院入学資格付与課程の専修学校を除く。

※ 4：職業訓練法の一部を改正する法律（昭和53年法律第40号）の施行前に、改正前の職業訓練法に基づく高等訓練課程又は特別高等訓練課程の養成訓練を修了した者は、それぞれ改正後の職業能力開発促進法に基づく普通課程の普通職業訓練又は専門課程の高度職業訓練を修了したものとみなす。また、職業能力開発促進法の一部を改正する法律（平成4年法律第67号）の施行前に、改正前の職業能力開発促進法に基づく専門課程の養成訓練を修了した者は、専門課程の高度職業訓練を修了したものとみなし、改正前の職業能力開発促進法に基づく普通課程の養成訓練又は職業転換課程の能力再開発訓練（いずれも800時間以上のものに限る。）を修了した者はそれぞれ改正後の職業能力開発促進法に基づく普通課程又は短期課程の普通職業訓練を修了したものとみなす。

※ 5：総訓練時間が700時間未満のものを含む。

※ 6：3級（前期又は後期の期間にかかわらず随時実施するものは除く。）の技能検定については、上記のほか、検定職種に関する学科に在学する者及び検定職種に関する訓練科において職業訓練を受けている者等も受検できる。また、工業高等学校に在学する者等であって、かつ、工業高等学校の教員等による検定職種に係る講習を受講し、当該講習の責任者から技能検定試験受検に際して安全衛生上の問題等がないと判定されたものも受検できる。また、基礎級の技能検定については技能実習生のみが、3級（前期又は後期の期間にかかわらず随時実施するものに限る。）は基礎級（旧基礎1級及び基礎2級を含む）に合格した者のみが、2級（前期又は後期の期間にかかわらず随時実施するものに限る。）は基礎級（旧基礎1級及び基礎2級を含む）及び当該検定職種に係る3級の実技試験に合格した者のみが、受検できる。

※ 7：検定職種に関し実務の経験を有する者について、受検資格を認めることとする。

※ 8：当該学校が厚生労働大臣の指定を受けたものであるか否かに関わらず、受検資格を付与する。

※ 9：職業能力開発促進法第92条に規定する職業訓練又は指導員訓練に準ずる訓練の修了者においても、修了した職業訓練又は指導員訓練の訓練課程に応じ、受検資格を付与する。

別表2　**都道府県及び中央職業能力開発協会所在地一覧**

（令和６年４月現在）

協　会　名	郵便番号	所　在　地	電話番号
北海道職業能力開発協会	003-0005	札幌市白石区東札幌５条1-1-2　北海道立職業能力開発支援センター内	011-825-2386
青森県職業能力開発協会	030-0122	青森市大字野尻字今田43-1　青森県立青森高等技術専門校内	017-738-5561
岩手県職業能力開発協会	028-3615	紫波郡矢巾町大字南矢幅10-3-1　岩手県立産業技術短期大学校内	019-613-4620
宮城県職業能力開発協会	981-0916	仙台市青葉区青葉町16-1	022-271-9917
秋田県職業能力開発協会	010-1601	秋田市向浜1-2-1　秋田県職業訓練センター内	018-862-3510
山形県職業能力開発協会	990-2473	山形市松栄2-2-1　県立山形職業能力開発専門校内３階	023-644-8562
福島県職業能力開発協会	960-8043	福島市中町8-2　福島県自治会館５階	024-525-8681
茨城県職業能力開発協会	310-0005	水戸市水府町864-4　茨城県職業人材育成センター内	029-221-8647
栃木県職業能力開発協会	320-0032	宇都宮市昭和1-3-10　栃木県庁舎西別館	028-643-7002
群馬県職業能力開発協会	372-0801	伊勢崎市宮子町1211-1	0270-23-7761
埼玉県職業能力開発協会	330-0074	さいたま市浦和区北浦和5-6-5　埼玉県浦和合同庁舎５階	048-829-2802
千葉県職業能力開発協会	261-0026	千葉市美浜区幕張西4-1-10	043-296-1150
東京都職業能力開発協会	101-8527	千代田区内神田1-1-5　東京都産業労働局神田庁舎５階	03-6631-6052
神奈川県職業能力開発協会	231-0026	横浜市中区寿町1-4　かながわ労働プラザ６階	045-633-5419
新潟県職業能力開発協会	950-0965	新潟市中央区新光町15-2　新潟県公社総合ビル４階	025-283-2155
富山県職業能力開発協会	930-0094	富山市安住町7-18　安住町第一生命ビル２階	076-432-9887
石川県職業能力開発協会	920-0862	金沢市芳斉1-15-15　石川県職業能力開発プラザ３階	076-262-9020
福井県職業能力開発協会	910-0003	福井市松本3-16-10　福井県職員会館ビル４階	0776-27-6360
山梨県職業能力開発協会	400-0055	甲府市大津町2130-2	055-243-4916
長野県職業能力開発協会	380-0836	長野市大字南長野南県町688-2　長野県婦人会館３階	026-234-9050
岐阜県職業能力開発協会	509-0109	各務原市テクノプラザ1-18　岐阜県人材開発支援センター内	058-260-8686
静岡県職業能力開発協会	424-0881	静岡市清水区楠160	054-345-9377
愛知県職業能力開発協会	451-0035	名古屋市西区浅間2-3-14　愛知県職業訓練会館内	052-524-2034
三重県職業能力開発協会	514-0004	津市栄町1-954　三重県栄町庁舎４階	059-228-2732
滋賀県職業能力開発協会	520-0865	大津市南郷5-2-14	077-533-0850
京都府職業能力開発協会	612-8416	京都市伏見区竹田流池町121-3　京都府立京都高等技術専門校２階	075-642-5075
大阪府職業能力開発協会	550-0011	大阪市西区阿波座2-1-1　大阪本町西第一ビルディング６階	06-6534-7510
兵庫県職業能力開発協会	650-0011	神戸市中央区下山手通6-3-30　兵庫勤労福祉センター１階	078-371-2091
奈良県職業能力開発協会	630-8213	奈良市登大路町38-1　奈良県中小企業会館２階	0742-24-4127
和歌山県職業能力開発協会	640-8272	和歌山市砂山南3-3-38　和歌山技能センター内	073-425-4555
鳥取県職業能力開発協会	680-0845	鳥取市富安2-159　久本ビル５階	0857-22-3494
島根県職業能力開発協会	690-0048	松江市西嫁島1-4-5　SPビル２階	0852-23-1755
岡山県職業能力開発協会	700-0824	岡山市北区内山下2-3-10　アマノビル３階	086-225-1547
広島県職業能力開発協会	730-0052	広島市中区千田町3-7-47　広島県情報プラザ５階	082-245-4020
山口県職業能力開発協会	753-0051	山口市旭通り2-9-19　山口建設ビル３階	083-922-8646
徳島県職業能力開発協会	770-8006	徳島市新浜町1-1-7	088-663-2316
香川県職業能力開発協会	761-8031	高松市郷東町587-1　地域職業訓練センター内	087-882-2854
愛媛県職業能力開発協会	791-8057	松山市大可賀2-1-28　アイテムえひめ内	089-993-7301
高知県職業能力開発協会	781-5101	高知市布師田3992-4	088-846-2300
福岡県職業能力開発協会	813-0044	福岡市東区千早5-3-1　福岡人材開発センター２階	092-671-1238
佐賀県職業能力開発協会	840-0814	佐賀市成章町1-15	0952-24-6408
長崎県職業能力開発協会	851-2127	西彼杵郡長与町高田郷547-21	095-894-9971
熊本県職業能力開発協会	861-2202	上益城郡益城町田原2081-10　電子応用機械技術研究所内	096-285-5818
大分県職業能力開発協会	870-1141	大分市大字下宗方字古川1035-1　大分職業訓練センター内	097-542-3651
宮崎県職業能力開発協会	889-2155	宮崎市学園木花台西2-4-3	0985-58-1570
鹿児島県職業能力開発協会	892-0836	鹿児島市錦江町9-14	099-226-3240
沖縄県職業能力開発協会	900-0036	那覇市西3-14-1	098-862-4278
中央職業能力開発協会	160-8327	新宿区西新宿7-5-25　西新宿プライムスクエア11階	03-6758-2859

プラスチック成形

実技試験問題

令和５年度　技能検定
２級　プラスチック成形(射出成形作業)
実技試験問題

次の注意事項に従い、与えられた金型を成形機に取り付け、2 種類の成形材料を用い、別図に示す製品を正しい作業手順にて成形し、成形材料ごとにそれぞれ良品と思うものを 20 個ずつ提出しなさい。

さらに成形したポリスチレン製品の 1 個を抜取り、別に示す指定箇所の寸法を測定し、実技試験解答用紙「成形品の寸法測定票」に測定値を記入しなさい。

1　試験時間

標準時間　　2 時間 30 分

打切り時間　　3 時間

2　注意事項

(1)　2 種類の成形材料は、次の X 組及び Y 組とする。

なお、使用する量については各組の重量の配分を考えて準備すること。

組	成形材料	選定基準
X組	ポリスチレン	射出成形用指定グレード　5≦MFR≦10　g/10min
Y組	ABS樹脂	射出成形用指定グレード　10≦MFR≦25　g/10min

注)　X組はすべて自然色(透明)、Y組はすべて自然色(乳白色)とし、再生材料を除く。

(2)　成形材料の使用量は、X 組及び Y 組の合計で 9.0kg 以内とし、これを超えて使用しないこと。

イ　試験開始前に、各組ごとの使用量を技能検定委員に申告し、計量してもらうこと。

ロ　試験開始後は、X 組 Y 組の使用量の変更はできない。

(3)　使用工具等は、使用工具等一覧表で指定したもの以外のものは使用しないこと。また、製品をノギスで測定する場合は、製品を作業台等の上に置き、ノギスを両手で扱うこと。

(4)　作業時の服装等は、安全性、かつ作業に適したものであること。

なお、作業時の服装等が著しく不適切であり、受検者の安全管理上、重大なけが・事故につながる等試験を受けさせることが適切でないと技能検定委員が判断した場合、試験を中止(失格)とする場合がある。

(5)　**この問題には、事前に書き込みをしないこと。また、試験中には、他の用紙にメモをしたものや参考書等を参照することは禁止とする。**

(6)　成形機又は金型に異常を発見したときは、技能検定委員に申し出ること。

(7)　離型不能の場合は、技能検定委員に申し出て、技能検定委員立会いのもと指示を受けること。

(8)　成形機、金型及びその他重要な器材の取扱いには、特に注意をすること。

(9)　金型の取付け・取外しは、有資格者である作業補助者の補助を得て行う場合があり、その内容等は、試験当日に技能検定委員から説明があること。

なお、作業補助者の補助は、成形機に取り付ける前までの金型の移動、成形機から取り外した後の金型の移動とし、補助を受ける際は、作業補助者に申し出ること。作業補助者は受検者の判断及び指示により作業補助を行う。

(10)　各製品のゲート仕上げをしないこと。

(11)　標準時間を超えて作業を行った場合は、超過時間に応じて減点されること。

(12)　X組及びY組の成形条件出しに際し、フル充てんさせない範囲内で、充てん量を徐々に増やしたショートショットの成形品を最低5ショット成形後(成形順に作業台にならべる)、良品をX組及びY組をそれぞれ20個成形して提出する。

(13)　成形終了後、加熱筒内の試験用材料をパージし、PE材に交換後充填度70%程度のPE成形品サンプルを2個提出して、その終了を技能検定委員に報告し、確認を受けること。

(14)　成形した成形品の1つを抜取り、寸法測定を行い、試験当日配付される実技試験解答用紙「成形品の寸法測定票」に測定値を記入し、受検番号及び氏名を記入のうえ、提出すること。

なお、成形品の寸法測定については、以下を参照すること。

参　考

成形品の寸法測定

ポリスチレン成形品の製品スプルー側の短辺及び長辺の寸法をノギスで測定し、解答用紙「成形品の寸法測定票」に記入する。

ただし、解答用紙への記入は、1/100mm単位で行うこと。

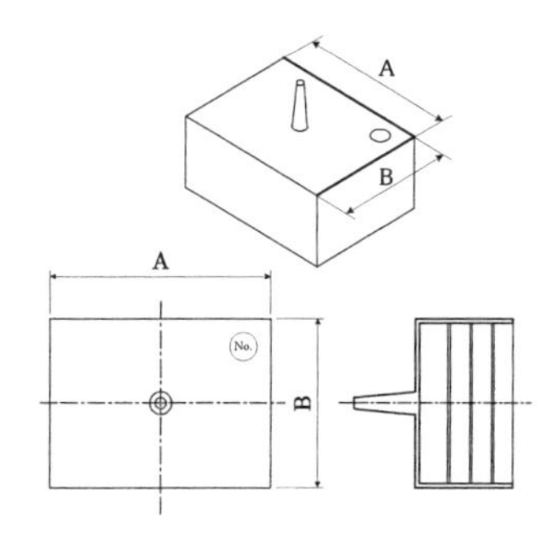

(15)　製品を各成形材料ごとに区分して、金型を清掃し、金型を取り外して指定の位置に下ろした後、作業終了の申告を行う。

＊この申告を受けて、受検者の試験時間が終了したものとする。

(16)　試験時間には、良品の選別時間、成形品の寸法測定及び解答用紙への記入時間を含むものとする。

(17)　作業終了の申告を行った後、成形機、工具類、測定具等の手入れを行い作業した場所及びその周辺の清掃を行うこと。

(18)　試験中は、携帯電話、スマートフォン、ウェアラブル端末等の使用(電卓機能の使用を含む)を禁止とする。

(19)　試験中に体調不良となった場合は、その旨を速やかに技能検定委員に申し出ること。

(20)　機器操作、工具・材料の取扱い等について、そのまま継続すると機器・設備等の破損やけがを招くおそれがある危険な行為であると技能検定委員が判断した場合、試験中にその旨を注意することがある。

さらに、当該注意を受けてもなお、危険な行為を続けた場合は、試験を中断し、技能検定委員全員が試験継続不可と判断した場合は、失格とする。ただし、緊急性を伴うと判断された場合は、注意を挟まず、即中止(失格)とすることがある。

また、上記以外も失格となる場合がある。

3　製品の形状及び寸法

製品形状図及び金型寸法図(P6)のとおり。*

＊本書では P.17

2級　プラスチック成形(射出成形作業)実技試験使用工具等一覧表

1　受検者が準備するもの

区　分	品　名	仕様又は規格	数量	備考
材　料	成形材料	2 注意事項(1)参照 なお、P7 の表から必ず選択すること。* ※使用量は、2 種類の合計で 9.0kg 以内	9.0kg	
その他	手　　袋	作業に適したもの	適宜	
	作 業 衣	作業に適したもの	適宜	
	作業帽子	作業に適したもの	適宜	ヘルメット等も可
	作 業 靴	安全靴	適宜	
	筆記用具	鉛筆(シャープペン)、消しゴム	適宜	
	飲料		適宜	熱中症対策、水分補給用

(注)「飲料」については、受検者が各自で試験当日の天候等を考慮の上、熱中症対策、水分補給用として、適宜、持参すること。

2　試験場に準備されているもの

(数量は、特にことわりがない場合は、受検者1名当たりの数量とする。

区　分	品　名	仕様又は規格	数量	備　考
設備類	射出成形機	インラインスクリュー式及びスクリュープリプラ方式 理論射出量：80～150cm³ 射出圧力：98MPa 以上 型締力：1078kN 以下 試験用金型を取り付けて成形できる型締装置をもっているもの	1	型締ストローク 120mm 以上 デーライト 390mm 以上 最小金型厚さ 270mm 以下 最大金型厚さ (トグル式型締装置) 270mm 以上
	ノズル	標準ノズル（穴径 φ3.0）	1	
	金型	1 個取り	1	
	金型温度調節機		1	型温調整用
	乾燥機	熱風式	1	
	エアコンプレッサ	空気圧　0.7MPa 又は 7kgf/cm²	1	
	チェーンブロック	試験実施に適するもの ワイヤロープ等のつり具を含む	1	クレーン等も可
	作業台		1	椅子も使用可
	万力	75～100mm	1	
	グラインダ		1	
	台ばかり	10kg	1	
	上皿天びん	200g、分銅付き	1	電子ばかりも可

*本書では P.18

区　分	品　名	仕様又は規格	数量	備　考
設備類	表面温度計	サーミスタ式、0～300℃	1組	
	ノギス	M形（電子式デジタル表示）、最大測定長 150mm、最小読取り値 0.01mm	1	M形(バーニヤ式)は不可
	ガスバーナ		1	ブンゼンバーナでもよい
	鋼製巻尺	2m	1	
その他	小型スコップ等		1	材料の取扱い用
	ノズル用スパナ		1	
	六角スパナ	十分な締め付けトルクが得られるもの	1組	トルクレンチ併用可
	プライヤ		1	
	ニッパ		1	
	モンキレンチ		1	
	スコヤ	100～200mm	1	
	ナイフ		適宜	
	ハンマ		適宜	木製、プラスチック製、銅製等を含む
	ドライバ		適宜	
	はけ		1	金型清掃用
	へら	黄銅板	1	受検者持参でもよい
	棒	黄銅又は銅棒	1	先のとがったもの
	油といし		適宜	金型みがき用
	青こ(酸化クロム)、青棒		適宜	金型みがき用
材料類	離型剤(スプレー式)		適宜	
	パージ用材料	ポリエチレン(高密度) 5≦MFR≦13　g/10min	適宜	
	防錆剤		適宜	
	白灯油		適宜	金型清掃用、脱脂剤を含む。
その他	リンネル布		適宜	金型清掃用
	ウエス		適宜	
	手袋		適宜	
	フェルトペン	黒及び赤(油性)	適宜	
	鉛筆		適宜	
	メモ用紙		適宜	

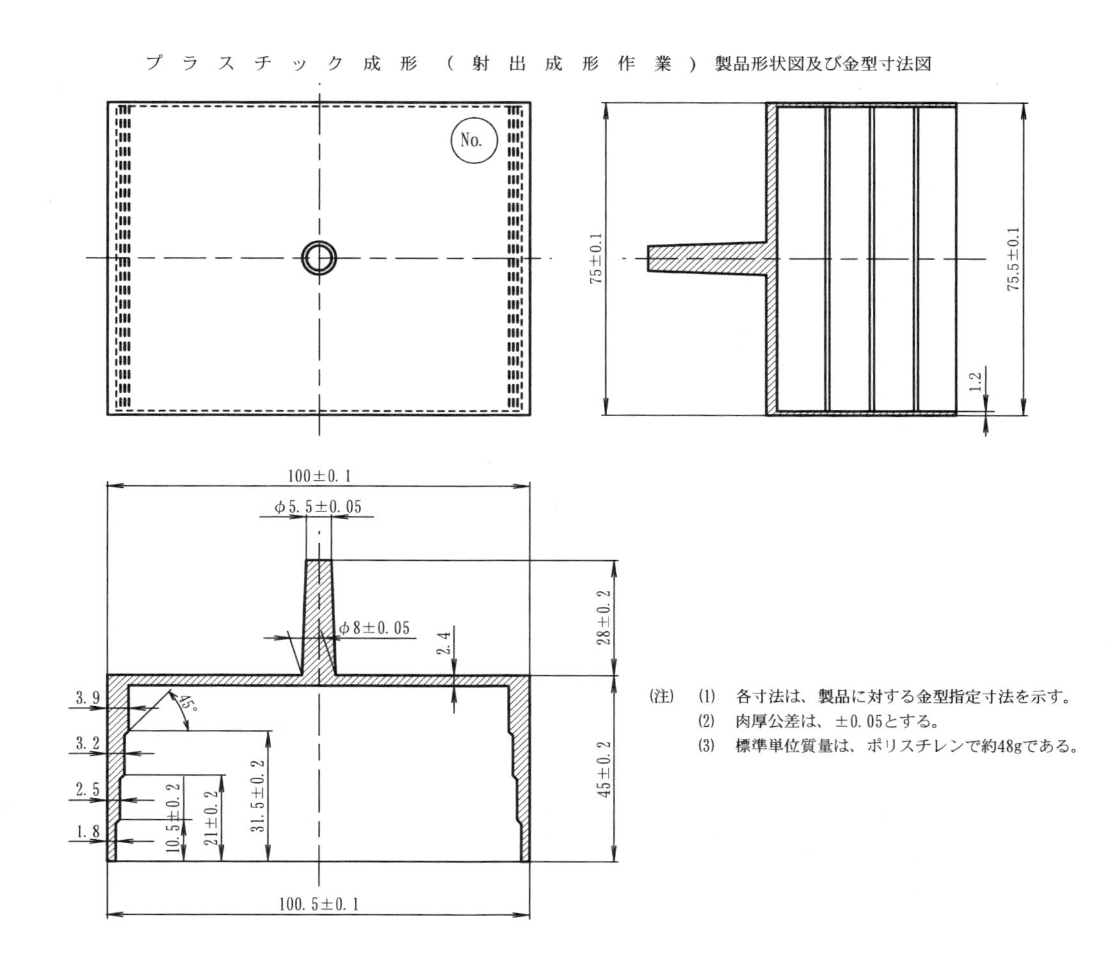
プラスチック成形（射出成形作業）製品形状図及び金型寸法図
No.
75±0.1
75.5±0.1
1.2
100±0.1
φ5.5±0.05
φ8±0.05
2.4
28±0.2
45±0.2
45°
3.9
3.2
2.5
1.8
10.5±0.2
21±0.2
31.5±0.2
100.5±0.1
(注)
(1) 各寸法は、製品に対する金型指定寸法を示す。
(2) 肉厚公差は、±0.05とする。
(3) 標準単位質量は、ポリスチレンで約48gである。

2級プラスチック成形(射出成形作業)指定材料一覧表

X組　ポリスチレン（射出成形用指定グレード）

メーカ名	商品名	指定グレード
PS ジャパン㈱	PSJ ポリスチレン	HF77-306
DIC㈱	ディックスチレン	CR3500
東洋スチレン㈱	トーヨースチロール	G200C　・　G210C

Y組　ABS樹脂（射出成形用指定グレード）

メーカ名	商品名	指定グレード
㈱ダイセル	セビアン－V	320SF　・　500SF
テクノ UMG㈱	テクノ ABS®	130
	UMG ABS®	EX18A
デンカ㈱	デンカ ABS	GR-1000　・　GR-2000
東レ㈱	トヨラック	100 322 U　・　700 314 U
日本エイアンドエル㈱	クララスチック	MVF-1K

(注) 1) メーカ名等については、変更される場合がある。

2) X組はすべて自然色(透明)、Y組はすべて自然色(乳白色)とし、再生材料を除く。

令和5年度　技能検定
1級　プラスチック成形(射出成形作業)
実技試験問題

次の注意事項に従い、与えられた金型を成形機に取り付け、2種類の成形材料を用い、別図に示す製品を正しい作業手順にて成形し、成形材料ごとにそれぞれ良品と思うものを40個ずつ提出しなさい。

さらに、各成形材料ごとに、それぞれ製品1個を抜取り、実技試験解答用紙「成形収縮率計算票」に示す指定箇所の寸法を測定し、成形収縮率を計算しなさい。また、実技試験解答用紙「材料歩留り率計算票」を作成しなさい。

1　試験時間

標準時間　　3時間10分

打切り時間　　3時間40分

2　注意事項

(1)　2種類の成形材料は、次のX組及びY組とする。

なお、使用する量については、各組の重量の配分を考えて準備すること。

組	成形材料	選定基準
X組	ポリスチレン	射出成形用指定グレード　5≦MFR≦10　g/10min
Y組	ポリカーボネート	射出成形用指定グレード　5≦MFR≦20　g/10min

注)X組、Y組はすべて自然色(透明)とし、再生材料を除く。
なお、Y組はブルーイング品及び離型剤添加品は可とする。

(2)　成形材料の使用量は、X組及びY組の合計で11.0kg以内とし、これを超えて使用しないこと。

イ　試験開始前に、各組ごとの使用量を技能検定委員に申告し、計量してもらうこと。

ロ　試験開始後は、X組Y組の使用量の変更はできない。

(3)　使用工具等は、使用工具等一覧表で指定したもの以外のものは使用しないこと。また、製品をノギスで測定する場合は、製品を作業台等の上に置き、ノギスを両手で扱うこと。

(4)　作業時の服装等は、安全性、かつ作業に適したものであること。

なお、作業時の服装等が著しく不適切であり、受検者の安全管理上、重大なけが・事故につながる等試験を受けさせることが適切でないと技能検定委員が判断した場合、試験を中止(失格)とする場合がある。

(5)　**この問題には、事前に書き込みをしないこと。また、試験中には、他の用紙にメモをしたものや参考書等を参照することは禁止とする。**

(6)　成形機又は金型に異常を発見したときは、技能検定委員に申し出ること。

(7)　離型不能の場合は、技能検定委員に申し出て、技能検定委員立会いのもと指示を受けること。

(8)　成形機、金型及びその他重要な器材の取扱いには、特に注意をすること。

(9)　金型の取付け・取外しは、有資格者である作業補助者の補助を得て行う場合があり、その内容等は、試験当日に技能検定委員から説明があること。

なお、作業補助者の補助は、成形機に取り付ける前までの金型の移動、成形機から取り外した後の金型の移動とし、補助を受ける際は、作業補助者に申し出ること。作業補助者は受検者の判断及び指示により作業補助を行う。

(10)　各製品のゲート仕上げをしないこと。

(11)　標準時間を超えて作業を行った場合は、超過時間に応じて減点されること。

(12)　X組及びY組の成形条件出しに際し、フル充てんさせない範囲内で、充てん量を徐々に増やしたショートショットの成形品を最低5ショット成形後(成形順に作業台にならべる)、良品をX組及びY組をそれぞれ40個成形して提出する。

(13)　成形終了後、加熱筒内の試験用材料をパージし、PE材に交換後充填度70%程度のPE成形品サンプルを2個提出して、その終了を技能検定委員に報告し、確認を受けること。

(14)　製品を成形材料ごとに区分して、試験当日配付される実技試験解答用紙（「成形収縮率計算票」及び「材料歩留り率計算票」）を記入し、受検番号及び氏名を記入のうえ、技能検定委員に提出すること。

＊試験時間には、パージ終了の確認、成形収縮率計算票及び材料歩留り率計算票の作成時間並びに良品の選別時間を含むものとする。

参　考

イ　成形収縮率計算票

製品スプル一側の短辺及び長辺の寸法を測定し、成形収縮率を計算する。

	短　辺		長　辺	
金型呼称寸法	75.00mm		100.00mm	
成形材料名	X	Y	X	Y
実測寸法	mm	mm	mm	mm
差	mm	mm	mm	mm
成形収縮率	―/1000	―/1000	―/1000	―/1000

(注) 1　実測寸法及び差は、1 / 100mm 単位で記入すること。

2　成形収縮率は、1 / 10000 の位を四捨五入して1 / 1000 単位で記入すること。(記入例: 3 / 1000)

3　金型寸法は、金型呼称寸法を用いること。

4　右図は、成形品の寸法測定箇所を示す。

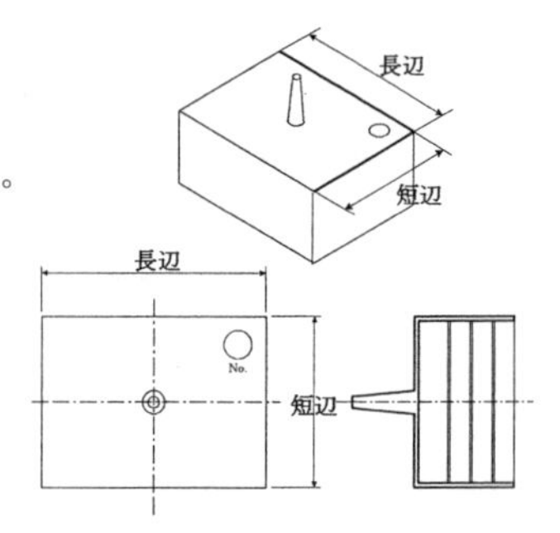

ロ　材料歩留り率計算票

成形材料名	(X)	(Y)
持参量　　(kg)	kg	kg
残　量　　(kg)	kg	kg
使用量　　(kg)	kg	kg
(A)実測単位質量　(g)	g	g
(B)良品数　(個)	個	個
(C)=(A)×(B)(kg)	kg	kg
歩留り率　(%)	%	%

(注) 1　持参量(kg)、残量(kg)及び使用量(kg)は、小数第1位まで記入する。
(小数第1位が0の場合は、0の記入を省略可とする。)
2　(A)実測単位質量(g)は、小数以下を切り捨てて記入すること。
3　(C)の記入欄には(C)の数値のみを記入して、(A)×(B)の計算式は記入しないこと。
ただし、数値は、小数第2位を四捨五入し小数第1位まで記入すること。
4　歩留り率は、小数第3位まで算出して四捨五入し、百分率(%)で表すこと。
(例:計算値が0.453の場合、45%として記入)

(15)　金型を清掃し、金型を取り外して指定の位置に下ろした後、作業終了の申告を行う。
＊この申告を受けて、受検者の試験時間が終了したものとする。

(16)　作業終了の申告を行った後、成形機、工具類、測定具等の手入れを行い、作業した場所及びその周辺の清掃を行うこと。

(17)　試験中は、携帯電話、スマートフォン、ウェアラブル端末等の使用(電卓機能の使用を含む)を禁止とする。

(18)　試験中に体調不良となった場合は、その旨を速やかに技能検定委員に申し出ること。

(19)　機器操作、工具・材料の取扱い等について、そのまま継続すると機器・設備等の破損やけがを招くおそれがある危険な行為であると技能検定委員が判断した場合、試験中にその旨を注意することがある。

さらに、当該注意を受けてもなお、危険な行為を続けた場合は、試験を中断し、技能検定委員全員が試験継続不可と判断した場合は、失格とする。ただし、緊急性を伴うと判断された場合は、注意を挟まず、即中止(失格)とすることがある。

また、上記以外も失格となる場合がある。

3　製品の形状及び寸法

製品形状図及び金型寸法図(P6)のとおり。*

＊本書ではP.24

1級　プラスチック成形(射出成形作業)実技試験使用工具等一覧表

1　受検者が準備するもの

区　分	品　名	仕様又は規格	数量	備考
材　料	成形材料	2 注意事項(1)参照 なお、P7 の表から必ず選択すること。* ※使用量は、2 種類の合計で 11.0kg 以内	11.0kg	
その他	手袋	作業に適したもの	適宜	
	作業衣	作業に適したもの	適宜	
	作業帽子	作業に適したもの	適宜	ヘルメット等も可
	作業靴	安全靴	適宜	
	筆記用具	鉛筆(シャープペン)、消しゴム	適宜	
	飲料		適宜	熱中症対策、水分補給用

(注)「飲料」については、受検者が各自で試験当日の天候等を考慮の上、熱中症対策、水分補給用として、適宜、持参すること。

2　試験場に準備されているもの

(数量は、特にことわりがない場合は、受検者 1 名当たりの数量とする。)

区　分	品　名	仕様又は規格	数量	備　考
設備類	射出成形機	インラインスクリュー式及びスクリュープリプラ方式 理論射出量：80～150cm³ 射出圧力：98MPa 以上 型締力：1078kN 以下 試験用金型を取り付けて成形できる型締装置をもっているもの	1	型締ストローク 120mm 以上 デーライト 390mm 以上 最小金型厚さ 270mm 以下 最大金型厚さ (トグル式型締装置) 270mm 以上
	ノズル	標準ノズル（穴径 φ3.0）	1	
	金型	1 個取り	1	
	金型温度調節機		1	型温調整用
	乾燥機	熱風式	1	
	エアコンプレッサ	空気圧 0.7MPa　又は 7kgf/cm²	1	
	チェーンブロック	試験実施に適するもの ワイヤロープ等のつり具を含む	1	クレーン等も可
	作業台		1	椅子も使用可
	万力	75～100mm	1	
	グラインダ		1	
	台ばかり	10kg	1	

＊本書では P.25

区　分	品　名	仕様又は規格	数量	備　考
設備類	上皿天びん	200g、分銅付き	1	電子ばかりも可
	表面温度計	サーミスタ式、0～300℃	1組	
	ノギス	M形（電子式デジタル表示）、最大測定長 150mm、最小読取り値 0.01mm	1	M形(バーニヤ式)は不可
	ガスバーナ		1	ブンゼンバーナでもよい
	鋼製巻尺	2m	1	
	電子式卓上計算機	電池式(太陽電池式含む)	1	
工具類	小型スコップ等		1	材料の取扱い用
	ノズル用スパナ		1	
	六角スパナ	十分な締め付けトルクが得られるもの	1組	トルクレンチ併用可
	プライヤ		1	
	ニッパ		1	
	モンキレンチ		1	
	スコヤ	100～200mm	1	
	ナイフ		適宜	
	ハンマ		適宜	木製、プラスチック製、銅製等を含む
	ドライバ		適宜	
	はけ		1	金型清掃用
	へら	黄銅板	1	受検者持参でもよい
	棒	黄銅又は銅棒	1	先のとがったもの
	油といし		適宜	金型みがき用
	青こ(酸化クロム)、青棒		適宜	金型みがき用
材料類	離型剤(スプレー式)		適宜	
	パージ用材料	ポリエチレン(高密度) 5≦MFR≦13　g/10min	適宜	
	防錆剤		適宜	
	白灯油		適宜	金型清掃用、脱脂剤を含む。
その他	リンネル布		適宜	金型清掃用
	ウエス		適宜	
	手袋		適宜	
	フェルトペン	黒及び赤(油性)	適宜	
	鉛筆		適宜	
	メモ用紙		適宜	

プラスチック成形（射出成形作業）製品形状図及び金型寸法図

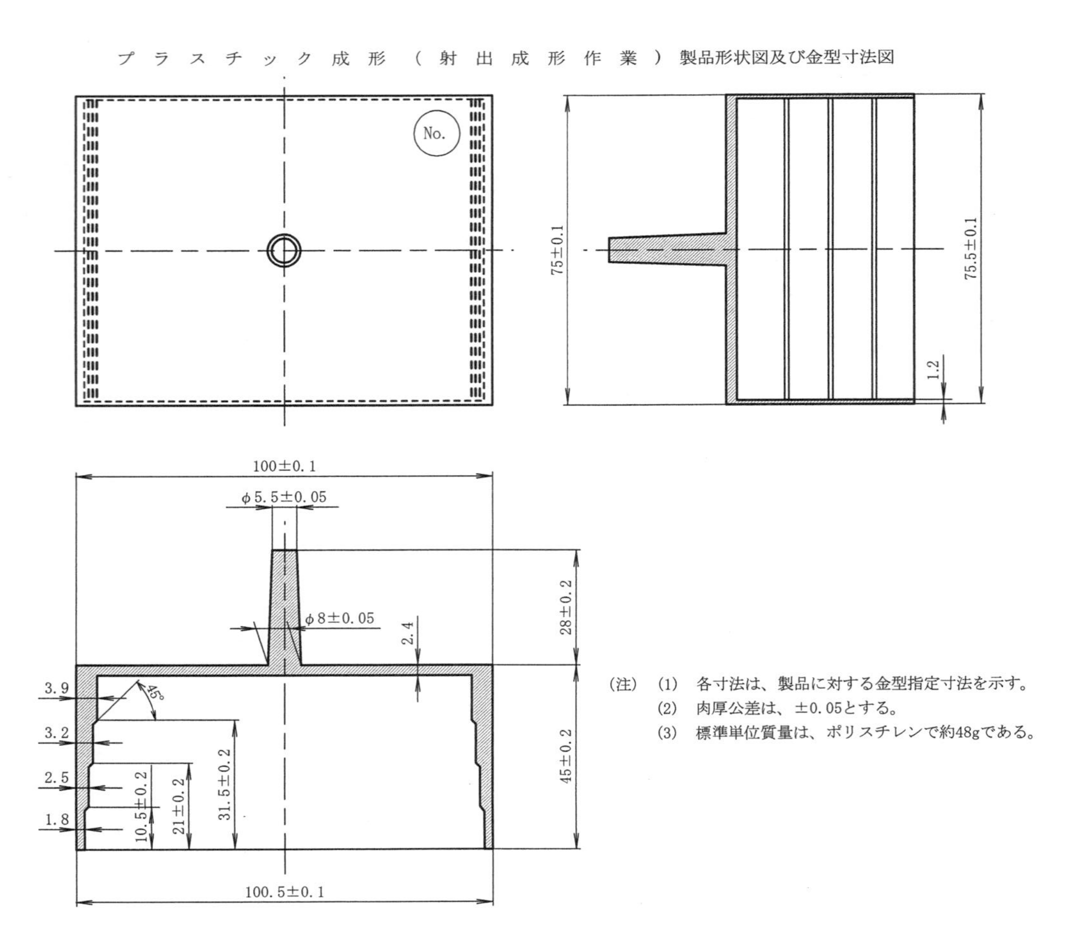

（注）(1) 各寸法は、製品に対する金型指定寸法を示す。
(2) 肉厚公差は、±0.05とする。
(3) 標準単位質量は、ポリスチレンで約48gである。

1級プラスチック成形(射出成形作業)指定材料一覧表

X組　ポリスチレン（射出成形用指定グレード）

メーカ名	商　品　名	指定グレード
PSジャパン㈱	PSJポリスチレン	HF77-306
DIC㈱	ディックスチレン	CR3500
東洋スチレン㈱	トーヨースチロール	G200C　・　G210C

Y組　ポリカーボネート（射出成形用指定グレード）

メーカ名	商　品　名	指定グレード
出光興産㈱	タフロン　（一般用）	A1900
	タフロン　（離型剤入り）	IR2200　・　IR1900
住化ポリカーボネート㈱	SDポリカ　（離型剤入り）	301-10　・　301-15
帝人㈱	パンライト　（離型剤入り）	L-1225L
SHPPジャパン合同会社	LEXAN™樹脂　（一般用）	121　・　141
	LEXAN™樹脂（離型剤入り）	121R（124Rも可）・　141R
三菱エンジニアリングプラスチックス㈱	ノバレックス（離型剤入り）	7022IR　・　7025IR
	ユーピロン　（離型剤入り）	S-2000R　・　S-3000R

(注) 1) メーカ名等については、変更される場合がある。

2) X組、Y組はすべて自然色(透明)とし、再生材料を除く。

なお、Y組はブルーイング品及び離型剤添加品は可とする。

令和５年度　技能検定
２級　プラスチック成形(インフレーション成形作業)
実技試験問題

次の注意事項に従い、低密度ポリエチレン成形機又は高密度ポリエチレン成形機のいずれかを使い、受検者が選定した使用材料（P3の「3　使用材料、製品表」）を用いて製品表に示す３種類の製品を成形し、所定の長さをボビンに巻き取りなさい。*1

さらに、実技試験解答用紙(「成形寸法検査表」)を作成しなさい。

1　試験時間

標準時間　　2時間15分
打切り時間　2時間30分

2　注意事項

(1)　材料は、事前に受検者が銘柄（P4の「受検者が持参するもの」に示す）を選定し、未開封の正袋品として持参するものとする。*2
(2)　材料の銘柄は、各樹脂メーカーの標準銘柄の中から指定されたものとし、特殊なものは使用しないこと。
(3)　3種類の製品の成形順序は、受検者が選定すること。
(4)　成形機又は制御盤等に異常を発見した時は、技能検定委員に申し出ること。
(5)　使用工具等は、使用工具等一覧表で指定したもの以外は使用しないこと。
(6)　作業時の服装等は、作業に適したものであること。
なお、作業時の服装等が著しく不適切であり、受検者の安全管理上、重大なけが・事故につながる等試験を受けさせることが適切でないと技能検定委員が判断した場合、試験を中止(失格)とする場合がある。
(7)　標準時間を超えて作業を行った場合は、超過時間に応じて減点される。
(8)　製品の成形・巻取りを終了してから成形機を停止し、試験当日配付される実技試験解答用紙(「成形寸法検査表」)の作成を終了し提出した時点で、技能検定委員に作業を終了した旨の報告をすること。なお、解答用紙には受検番号及び氏名を記入すること。
(9)　技能検定委員に作業を終了した旨の報告を行った後、製品に受検番号、氏名、寸法及び材料銘柄を記入したラベルをはり提出するとともに、使用した工具等を所定の位置に整理整頓をすること。
(10)　**この問題には、事前に書込みをしないこと。また、試験中には、あらかじめ、他の用紙にメモをしたものや参考書等を参照することは禁止とする。**
(11)　試験中は、携帯電話、スマートフォン、ウェアラブル端末等の使用(電卓機能の使用を含む)は禁止とする。

＊1　本書ではP.28
＊2　本書ではP.29

参考

成形寸法検査表

1 下表は、成形を行った順に記入すること。
2 規格の製品記号、厚さ、折径、巻長さ及び提出巻数は、製品表のものを転記すること。
3 測定厚さは、チューブを幅方向に約8等分した8点で測定し、小数第四位を四捨五入し小数第三位まで記入すること。
4 平均厚さは、小数第四位を四捨五入し小数第三位まで記入すること。
5 温度条件は、製品を造り始めた時点で計器が示す実際の温度を記入するものとするが、機種によってシリンダ1、シリンダ2以外の温度を示すものがある場合は、それも記入すること。

	成形順序	製品記号	材料銘柄	厚さ	折径	巻長さ	提出巻数
規格	1			mm	mm	m	巻
	2			mm	mm	m	巻
	3			mm	mm	m	巻

	成形順序	1	2	3	4	5	6	7	8	平均厚さ
測定厚さ	1	mm	mm	mm	mm	mm	mm	mm	mm	mm
	2	mm	mm	mm	mm	mm	mm	mm	mm	mm
	3	mm	mm	mm	mm	mm	mm	mm	mm	mm

	成形順序	シリンダ1	シリンダ2			
温度条件	1	℃	℃	℃	℃	℃
	2	℃	℃	℃	℃	℃
	3	℃	℃	℃	℃	℃

3　使用材料、製品表

A　低密度ポリエチレン成形機を使用する場合

(1)　使用材料

材料は、密度が 0.918～0.928 g/cm³ の低密度ポリエチレンで、MFR が 2～4 g/10min の材料を使用すること。

(2)　製品表

製品記号	厚さ	許容差	平均厚さの許容差	折径	許容差	巻長さ	提出巻数
イ	0.020mm	±0.003mm	±0.001mm	350mm	±5mm	200m	1巻
ロ	0.030mm	±0.005mm	±0.002mm	480mm	±6mm	200m	1巻
ハ	0.040mm	±0.006mm	±0.003mm	550mm	±7mm	200m	1巻

B　高密度ポリエチレン成形機を使用する場合

(1)　使用材料

材料は、密度が 0.945～0.960 g/cm³ の高密度ポリエチレンで、MFR が 0.1 g/10min 未満の材料を使用すること。

(2)　製品表

製品記号	厚さ	許容差	平均厚さの許容差	折径	許容差	巻長さ	提出巻数
イ	0.020mm	±0.004mm	±0.002mm	600mm	±7mm	200m	1巻
ロ	0.025mm	±0.005mm	±0.002mm	450mm	±7mm	200m	1巻
ハ	0.025mm	±0.005mm	±0.002mm	530mm	±7mm	200m	1巻

2級　プラスチック成形(インフレーション成形作業)　実技試験使用工具等一覧表

1　受検者が持参するもの

区分	品名	規格	数量	備考
使用材料	低密度ポリエチレン	MFR 2～4 g/10min 密度 0.918～0.928 g/cm^{3}の 1 銘柄	50kg	受検者が選定した低密度ポリエチレン又は高密度ポリエチレンのどちらかを持参。 なお、P6 の指定材料一覧表から必ず選択すること。*
	高密度ポリエチレン	MFR 0.1 g/10min 未満 密度 0.945～0.960 g/cm^{3}の 1 銘柄	50kg	
その他	手　袋	成形作業に適したもの	適宜	
	作業衣	〃	適宜	
	作業靴	〃	適宜	
	飲料		適宜	熱中症対策、水分補給用

（注）「飲料」については、受検者が各自で試験当日の天候、気温等を考慮の上、熱中症対策、水分補給用として、適宜、持参すること。

2　試験場に準備されているもの（数量欄の数字は受検者１名当たりの数量である）

区分	品　名	寸法又は規格	数量	備　考
設備類	インフレーション成形機	・押出機: φ 50mm、 駆動モータ 15kW 以上	1	
		・ダイ:LDPE 用 φ 150mm、 HDPE 用 φ 75mm	1	
		・ブロアー: LDPE 用 2.2kW(3HP)以上 HDPE 用 3.7kW(5HP)以上	1	インバーター制御方式又はダンパー制御方式
		・引取機:ロール幅 800mm 高さ 3000～4000mm 速度 8～80m/min	1	高さは記載の範囲で固定されている。
		・巻取機:2 軸ターレット、ボビン巻用	1	
		・制御盤:5 点制御	1	
	作業台		1	

＊本書では P.31

区分	品　名	寸法又は規格	数量	備　考
計器類	ダイヤルゲージ（ハンディタイプ及び卓上タイプ）	精度 0.001mm	各 1	ハンディタイプと卓上タイプを用意している。どちらを使用してもよい。
	金属製直尺	1m	1	
	鋼製巻尺	2m	1	
	秤	最小目盛 10g、秤量 30kg	適宜	共用の場合もある
	秤	最小目盛 1g、秤量 2kg	適宜	共用の場合もある
工具類	標準工具	六角レンチ、スパナ	一式	
	附属工具	銅べら、ブラシ	一式	
	刃物	カッター、裁ちばさみ	一式	
その他	離型剤	シリコンオイル(スプレー式)	1	
	テープ類	粘着テープ	1	巻取り用 製品終端固定用
	筆記具	鉛筆、消しゴム、油性マーキングペン	適宜	
	メモ用紙		適宜	
	ラベル		適宜	
	ボビン	内径 3 インチの紙管又はプラスチック管	適宜	質量を記載したもの
	ウエス		適宜	
	電子式卓上計算機	電池式(太陽電池式含む)	1	(注)

(注) 試験中は、携帯電話、スマートフォン、ウェアラブル端末等の使用(電卓機能の使用を含む)は禁止とする。

2級　プラスチック成形（インフレーション成形作業）指定材料一覧表

区分 ／ 会社名	低密度ポリエチレン (LDPE)	高密度ポリエチレン (HDPE)
	グレード (密度 0.918〜0.928)	グレード 密度(0.945〜0.960)
	MFR2.0〜4.0	MFR0.10未満
旭化成㈱	サンテック-LD F2225.4	サンテック-HD F184
宇部丸善ﾎﾟﾘｴﾁﾚﾝ㈱	UBEﾎﾟﾘｴﾁﾚﾝ F222A	−
京葉ポリエチレン㈱	−	KEIYO ポリエチ F3001
東ソー㈱	ペトロセン 183	ニポロンハード 7300A
住友化学㈱	スミカセン F200	−
日本ポリエチレン㈱	ノバテック LD LF448K1	ノバテック HD HF313
㈱NUC	−	−
㈱プライムポリマー	−	ハイゼックス 7000F

(注) 1　会社名等については、変更される場合がある。

2　使用する材料(低密度ポリエチレンまたは高密度ポリエチレン)から、1 銘柄を選択すること。

令和5年度　技能検定

1級　プラスチック成形(インフレーション成形作業)

実技試験問題

次の注意事項に従い、低密度ポリエチレン成形機又は高密度ポリエチレン成形機のいずれかを使い、受検者が選定した使用材料（P4の「3　使用材料、製品表及び表面処理」）を適宜用いて製品表に示す3種類の製品を成形し、所定の長さをボビンに巻き取りなさい。*1

さらに、実技試験解答用紙(「成形寸法検査表」及び「材料ロス率計算表」)を作成しなさい。

1　試験時間

標準時間	2時間30分
打切り時間	2時間45分

2　注意事項

(1)　材料は、事前に受検者が銘柄（P5の「受検者が持参するもの」に示す）を選定し、未開封の正袋品として持参するものとする。*2

(2)　材料の銘柄は、各樹脂メーカーの標準銘柄の中から指定されたものとし、特殊なものは使用しないこと。

(3)　3種類の製品の成形順序は、受検者が選定すること。

(4)　製品と材料の組合せは、P4の「3 使用材料、製品表及び表面処理」の指示に従い、行うこと。*1

(5)　成形機又は制御盤等に異常を発見した時は、技能検定委員に申し出ること。

(6)　使用工具等は、使用工具等一覧表で指定したもの以外は使用しないこと。

(7)　作業時の服装等は、作業に適したものであること。
なお、作業時の服装等が著しく不適切であり、受検者の安全管理上、重大なけが・事故につながる等試験を受けさせることが適切でないと技能検定委員が判断した場合、試験を中止(失格)とする場合がある。

(8)　標準時間を超えて作業を行った場合は、超過時間に応じて減点される。

(9)　製品の成形・巻取りを終了してから成形機を停止し、試験当日配付される実技試験解答用紙(「成形寸法検査表」と「材料ロス率計算表」)の作成を終了し提出した時点で、技能検定委員に作業を終了した旨の報告をすること。
なお、解答用紙には受検番号及び氏名を記入すること。

(10)　技能検定委員に作業を終了した旨の報告を行った後、製品に受検番号、氏名、寸法及び材料銘柄を記入したラベルをはり提出するとともに、使用した工具等を所定の位置に整理整頓をすること。

(11)　**この問題には、事前に書込みをしないこと。また、試験中には、あらかじめ、他の用紙にメモをしたものや参考書等を参照することは禁止とする。**

(12)　試験中は、携帯電話、スマートフォン、ウェアラブル端末等の使用(電卓機能の使用を含む)は禁止とする。

＊1　本書ではP.35
＊2　本書ではP.36

参考

成形寸法検査表

1 下表は、成形を行った順に記入すること。

2 規格の製品記号、厚さ、折径、巻長さ及び提出巻数は、製品表のものを転記すること。

3 測定厚さは、チューブを幅方向に約8等分した8点で測定し、小数第四位を四捨五入し小数第三位まで記入すること。

4 平均厚さは、小数第四位を四捨五入し小数第三位まで記入すること。

5 温度条件は、製品を造り始めた時点で計器が示す実際の温度を記入するものとするが、機種によってシリンダ1、シリンダ2以外の温度を示すものがある場合は、それも記入すること。

	成形順序	製品記号	材料銘柄	厚さ	折径	巻長さ	提出巻数
規格	1			mm	mm	m	巻
	2			mm	mm	m	巻
	3			mm	mm	m	巻

	成形順序	1	2	3	4	5	6	7	8	平均厚さ
測定厚さ	1	mm	mm	mm	mm	mm	mm	mm	mm	mm
	2	mm	mm	mm	mm	mm	mm	mm	mm	mm
	3	mm	mm	mm	mm	mm	mm	mm	mm	mm

	成形順序	シリンダ1	シリンダ2			
温度条件	1	℃	℃	℃	℃	℃
	2	℃	℃	℃	℃	℃
	3	℃	℃	℃	℃	℃

材料ロス率計算表

1 質量は、小数第一位まで記入すること。

2 ロス率は、小数第二位を四捨五入し小数第一位まで記入すること。

3 製品質量は、ボビンの質量を含まないものとすること。

4 低密度ポリエチレンについては、MFR0.8g/10min 以下の材料のロス率を記入すること。

材料銘柄	
材料質量	kg
残　　量	kg
使 用 量	kg
製品質量	kg
ロ ス 率	%

3 使用材料、製品表及び表面処理

A 低密度ポリエチレン成形機を使用する場合

(1) 使用材料

材料は、密度が 0.918～0.928 g/cm³ の低密度ポリエチレンで、MFR 2～4 及び 0.8 g/10min 以下の 2 種類の材料を使用すること。

(2) 製品表

製品記号	厚さ	許容差	平均厚さの許容差	折径	許容差	巻長さ	提出巻数
イ	0.020mm	±0.002mm	±0.001mm	350mm	+5mm ～ 0mm	200m	1巻
ロ	0.030mm	±0.003mm	±0.002mm	600mm	+7mm ～ 0mm	150m	1巻
ハ	0.050mm	±0.004mm	±0.003mm	470mm	+6mm ～ 0mm	100m	1巻

(3) 製品と材料の組合せ

製品記号イ及びロについては、MFR2～4 g/10min の材料を使用すること。

製品記号ハについては、MFR0.8 g/10min 以下の材料を使用すること。

(4) 表面処理

製品記号がハの製品の片面には、幅 430mm、ぬれ張力 38～44mN/m(38～44dyn/cm)の表面処理を行うこと。

B 高密度ポリエチレン成形機を使用する場合

(1) 使用材料

材料は、密度が 0.945～0.960 g/cm³ の高密度ポリエチレンで、MFR が 0.1 g/10min 未満の材料を使用すること。

(2) 製品表

製品記号	厚さ	許容差	平均厚さの許容差	折径	許容差	巻長さ	提出巻数
イ	0.020mm	±0.003mm	±0.001mm	600mm	±7mm	150m	1巻
ロ	0.015mm	±0.003mm	±0.001mm	450mm	±6mm	200m	1巻
ハ	0.025mm	±0.004mm	±0.001mm	530mm	±7mm	150m	1巻

(3) 表面処理

製品記号がロの製品の片面には、幅 410mm、ぬれ張力 38～44mN/m(38～44dyn/cm)の表面処理を行うこと。

1級　プラスチック成形(インフレーション成形作業)　実技試験使用工具等一覧表

1　受検者が持参するもの

区分	品　名	規　格	数量	備　考
使用材料	低密度ポリエチレン	MFR 2～4 g/10min　密度 0.918～0.928 g/cm³の 1 銘柄	50kg	受検者が選定した低密度ポリエチレン又は高密度ポリエチレンのどちらかを持参。 なお、P7 の指定材料一覧表から必ず選択すること。*
		MFR 0.8 g/10min 以下　密度 0.918～0.928 g/cm³の 1 銘柄	25kg	
	高密度ポリエチレン	MFR 0.1g/10min 未満 密度 0.945～0.960 g/cm³の 1 銘柄	75kg	
その他	手袋	成形作業に適したもの	適宜	
	作業衣	〃	適宜	
	作業靴	〃	適宜	
	飲料		適宜	熱中症対策、水分補給用

(注)「飲料」については、受検者が各自で試験当日の天候、気温等を考慮の上、熱中症対策、水分補給用として、適宜、持参すること。

2　試験場に準備されているもの（数量欄の数字は受検者１名当たりの数量である）

区分	品　名	寸法又は規格	数量	備　考
設備類	インフレーション成形機	・押出機:φ50mm、 駆動モータ 15kW 以上	1	
		・ダイ:LDPE 用φ150mm、 HDPE 用φ75mm	1	
		・ブロアー: LDPE 用 2.2kW(3HP)以上 HDPE 用 3.7kW(5HP)以上	1	インバーター制御方式又はダンパー制御方式
		・引取機:ロール幅 800mm 高さ 3000～4000mm 速度 8～80m/min	1	高さは記載の範囲で固定されている。
		・巻取機:2 軸ターレット、ボビン巻用	1	
		・制御盤:5 点制御	1	
	表面処理機	処理用電極:スライド式	1	
	作業台		1	

＊本書では P.38

区分	品名	寸法又は規格	数量	備考
計器類	ダイヤルゲージ（ハンディタイプ及び卓上タイプ）	精度 0.001mm	各 1	ハンディタイプと卓上タイプを用意している。どちらを使用してもよい。
	金属製直尺	1m	1	
	鋼製巻尺	2m	1	
	秤	最小目盛 10g、秤量 30kg	適宜	共用の場合もある
	秤	最小目盛 1g、秤量 2kg	適宜	共用の場合もある
試薬類	ぬれ試験用標準液	38mN/m(38dyn/cm) 及び 45mN/m(45dyn/cm)	各 1	綿棒を備える
工具類	標準工具	六角レンチ、スパナ	一式	
	附属工具	銅べら、ブラシ	一式	
	刃物	カッター、裁ちばさみ	一式	
その他	離型剤	シリコンオイル(スプレー式)	1	
	テープ類	粘着テープ	1	巻取り用 製品終端固定用
	筆記具	鉛筆、消しゴム、油性マーキングペン	適宜	
	メモ用紙		適宜	
	ラベル		適宜	
	ボビン	内径 3 インチの紙管又はプラスチック管	適宜	質量を記載したもの
	ウエス		適宜	
	電子式卓上計算機	電池式(太陽電池式含む)	1	(注)

(注) 試験中は、携帯電話、スマートフォン、ウェアラブル端末等の使用(電卓機能の使用を含む)は禁止とする。

1級　プラスチック成形（インフレーション成形作業）指定材料一覧表

区分 / 会社名	低密度ポリエチレン (LDPE) グレード (密度 0.918～0.928)		高密度ポリエチレン (HDPE) グレード 密度(0.945～0.960)
	MFR2.0～4.0	MFR0.8以下	MFR0.10未満
旭化成㈱	サンテック-LD F2225.4	サンテック-LD F2206	サンテック-HD F184
宇部丸善ﾎﾟﾘｴﾁﾚﾝ㈱	UBEﾎﾟﾘｴﾁﾚﾝ F222A	UBEﾎﾟﾘｴﾁﾚﾝ F022A	－
京葉ポリエチレン㈱	－	－	KEIYO ポリエチ F3001
東ソー㈱	ペトロセン 183	ペトロセン 175	ニポロンハード 7300A
住友化学㈱	スミカセン F200	スミカセン CE1567	－
日本ポリエチレン㈱	ノバテック LD LF448K1	ノバテック LD LF240	ノバテック HD HF313
㈱NUC	－	NUC-8506	－
㈱プライムポリマー	－	－	ハイゼックス 7000F

(注) 1　会社名等については、変更される場合がある。
2　低密度ポリエチレン(LDPE)を使用する場合は、MFR2.0～4.0から1銘柄、MFR0.8以下から1銘柄、計2銘柄を選択すること。
3　高密度ポリエチレン(HDPE)を使用する場合は、1銘柄を選択すること。

令和5年度　技能検定
2級プラスチック成形(真空成形作業)
実技試験問題概要

実技試験は、次に示す判断等試験及び計画立案等作業試験により行う。

1　判断等試験

(1)　試験実施日
令和5年9月3日(日)

(2)　試験時間
35分

(3)　問題の概要
成形条件の設定、トリミングの判定、成形機・成形法の理解、測定器の判定、成形不良の原因とその防止対策の判定等について行う。

(4)　持参用具等

品　　名	寸法又は規格	数量	備　　考
筆記用具	鉛筆、消しゴム等	一式	

(5)　その他
試験中は、参考書やメモ(本概要への書き込みを含む。)等を参照することは禁止とする。
試験中は、携帯電話、スマートフォン、ウェアラブル端末等の使用(電卓機能の使用を含む。)は禁止とする。

2　計画立案等作業試験

(1)　試験実施日
令和5年9月3日(日)

(2)　試験時間
1時間

(3)　問題の概要
材料選定、成形条件の設定、データの分析、成形機の理解、成形不良率の算出、収縮率の算出等について行う。

(4)　持参用具等

品　　名	寸法又は規格	数量	備　　考
筆記用具	鉛筆、消しゴム等	一式	
電子式卓上計算機	電池式（太陽電池式含む）	1	

(5)　その他
試験中は、参考書やメモ(本概要への書き込みを含む。)等を参照することは禁止とする。
試験中は、携帯電話、スマートフォン、ウェアラブル端末等の使用(電卓機能の使用を含む。)は禁止とする。

令和５年度　技能検定
２級プラスチック成形(真空成形作業)
実技試験(計画立案等作業試験)問題

1　試験時間

1時間

2　注意事項

(1)　係員の指示があるまで、この表紙はあけないでください。
(2)　解答用紙に、受検番号及び氏名を必ず記入してください。
(3)　係員の指示に従って、この試験問題が表紙を含めて8ページであることを確認してください。
それらに異常がある場合は、黙って手を挙げてください。
(4)　試験開始の合図で始めてください。
(5)　解答は、解答用紙の解答欄へ記入してください。
なお、要求している解答以外は記入しないでください。※欄には何も記入しないでください。
(6)　試験中は、携帯電話、スマートフォン、ウェアラブル端末等の使用(電卓機能の使用を含む。)を禁止とします。
(7)　試験中、質問があるときは、黙って手を挙げてください。ただし、試験問題の内容、漢字の読み方等に関する質問にはお答えできません。
(8)　試験終了時刻前に解答ができあがった場合は、黙って手を挙げて、係員の指示に従ってください。
(9)　試験中に手洗いに立ちたいときは、黙って手を挙げて、係員の指示に従ってください。
(10)　試験終了の合図があったら、筆記用具を置き、係員の指示に従ってください。
(11)　試験終了後、解答用紙を提出してください。
(12)　計算等は、問題用紙の余白又は裏面を使用して行ってください。

3　試験に使用できる用具等一覧

品　　　名	寸法又は規格	数量	備　　　考
筆記用具	鉛筆、消しゴム等	一式	
電子式卓上計算機	電池式(太陽電池式含む)	1	

問題 1

下記は、容器包装に使われる材料の特徴を記したものである。①～⑦に当てはまる容器として適切なものを、【語群】の中からそれぞれ一つずつ選び、解答欄に記号で答えなさい。ただし、同一記号は重複して使用しないこと。

① シートを縦横二軸延伸することにより高い透明性を持ち、剛性、耐寒性に優れている。

② 透明性、耐薬品性に優れ、難燃性の特徴がある。可塑剤を含んだグレードを使用する場合、可塑剤の移行の可能性ある。

③ 軽量で断熱性、保温性に優れており、ポリスチレン樹脂を発泡させたものである。

④ 透明性が高く、耐油性、成形性、ガスバリア性にも優れているが、耐熱性は低い。

⑤ プラスチック原料に無機物を配合した材料で、耐熱性や剛性が高い。

⑥ 半透明で、曲げても割れにくく、耐熱性、耐油性に優れている。

⑦ 耐寒性、耐衝撃性に優れ、深絞り製品にも向く。乳白色や白色の不透明材料である。

【語群】

記号	容器
ア	PVC 容器
イ	PP 容器
ウ	PPF 容器
エ	A-PET 容器
オ	OPS 容器
カ	HIPS 容器
キ	PSP 容器

問題2

下図は、熱板成形、真空圧空成形における熱板成形機の金型図を示している。これら図を基に、次の各設問に答えなさい。

設問1
<熱板成形　金型図>

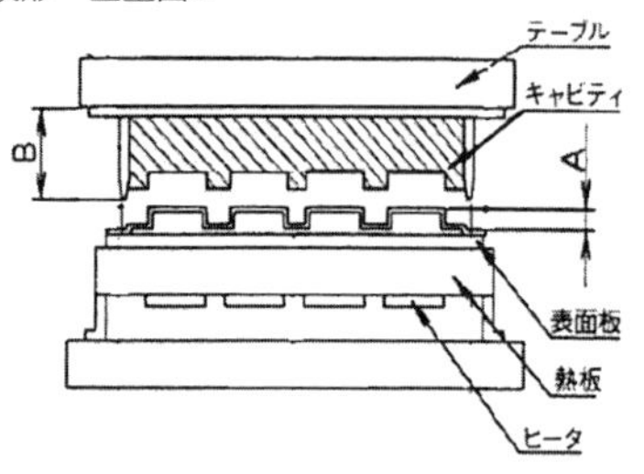

成形品高さ　A = 200 mm

金型高さ　B = 350 mm

成形品パスクリアランスを 10 mm とした場合、次の項目の設定値を求め、解答欄に記入しなさい。ただし、解答に小数点以下の端数がある場合は、小数第1位を四捨五入し、整数値で答えること。

なお、成形品パスクリアランスとは、金型が開いた時の成形品と金型との間隔のことである。

項目	設定値
テーブルストローク	(　①　) mm
テーブルシャットハイト	(　②　) mm

設問2
<真空圧空成形　金型図>

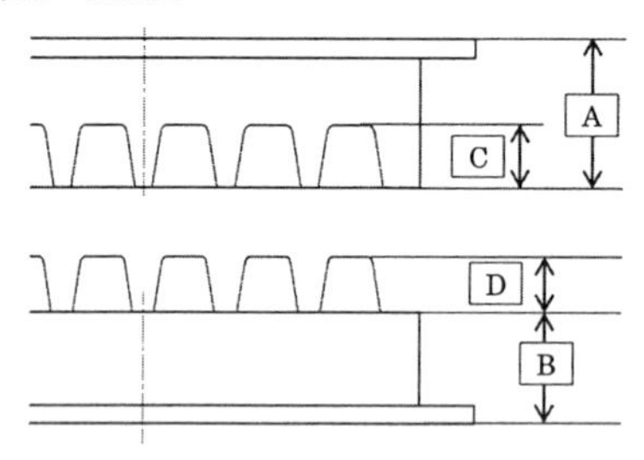

上型高さ　A = 250 mm

下型高さ　B = 150 mm

成形品高さ　C = 95 mm

プラグ高さ　D = 85 mm

成形品パスクリアランスを 10 mm、使用材料のドローダウンを 50 mm、シートパスクリアランスを 30 mm とした場合、次の項目の設定値を求め、解答欄に記入しなさい。ただし、解答に小数点以下の端数がある場合は、小数第1位を四捨五入し、整数値で答えること。

なお、シートパスクリアランスとは、下型が開いた時の送りシートとプラグトップとの間隔のことである。

項目	設定値
上テーブルのオープンハイト	(　①　) mm
下テーブルのオープンハイト	(　②　) mm

問題 3

次の表は、ある製品のフランジ厚みを測定した結果である。この表について次の各設問に答えなさい。ただし、解答に小数点以下の端数がある場合は、小数第 3 位を四捨五入し、小数第 2 位までの数値で答えること。

【フランジ厚み測定結果】

単位mm

キャビティ番号	キャビティ番号末尾	
	1	2
10	1.37	1.32
20	1.39	1.33
30	1.35	1.33

【キャビティ配列図】

11	12
21	22
31	32

設問 1　フランジ厚みの平均値 $\bar{x}$ を求めなさい。

設問 2　フランジ厚みのメディアン $\tilde{x}$ を答えなさい。

設問 3　フランジ厚みの範囲 R を求めなさい。

問題4

下図は、トムソン式の抜型構造図である。この図を基に、次の各設問に答えなさい。

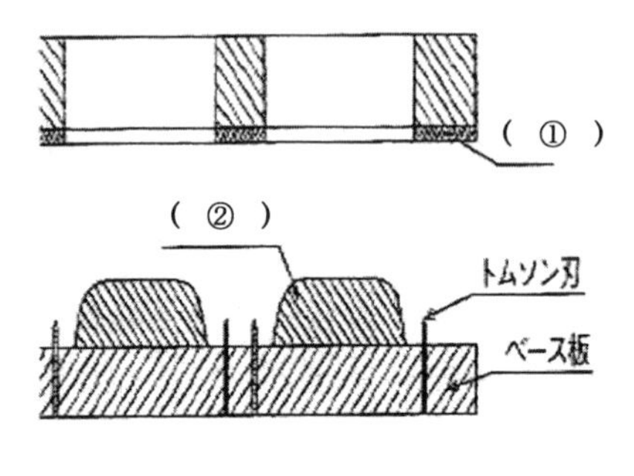

トムソン式抜型構造

設問1　トムソン式抜型構造の特徴として適切なものを、【語群1】から二つ選び、解答欄に記号で答えなさい。

【語群1】

記号	語句
ア	刃が切れなくなった際は、刃を新品と交換する。
イ	刃が切れなくなった際は、刃の叩きだし、研磨などで調整をする。
ウ	包丁とまな板で押し切る方法と同様である。
エ	立体的なトリミングが可能である。

設問2　図中の(　①　)及び(　②　)に当てはまる適切な語句を、【語群2】からそれぞれ一つずつ選び、解答欄に記号で答えなさい。ただし、同一記号は重複して使用しないこと。

【語群2】

記号	語句
ア	ダイプレート
イ	当板
ウ	パンチプレート
エ	パンチ
オ	ガイドブシュ
カ	製品ガイド

問題5

型締め力 400 kN の真空圧空成形機で、幅 980 mm×長さ 1,010 mm の金型で成形する場合について、この金型で成形する際に掛けられる最大圧空圧力(MPa)を算出し、解答欄に記入しなさい。ただし、解答に小数点以下の端数がある場合は、小数第 3 位を切り捨て、小数第 2 位までの値で答えること。

なお、圧空圧力は、金型寸法全体に掛かるものとする。

問題6

ある製品を生産した結果、以下のとおりであった。この結果を基に、次の各設問に答えなさい。

項目	数値
金型の製品取り数	36 個/shot
成形送り長さ	980 mm
材料の長さ	400 m巻/本のシート20本
良品の総数	286,400 個

設問 1　この生産結果について、成形不良数を求め、解答欄に記入しなさい。ただし、材料 1 本ごとに成形ショットの小数点以下の端数は切り捨て、整数値で答えること

設問 2　この生産結果について、成形不良率(%)を求め、解答欄に記入しなさい。ただし、解答に小数点以下の端数がある場合は、小数第 2 位を四捨五入し、小数第 1 位までの値で答えること。

問題 7

プラスチックシートを真空成形法で成形するときの収縮について、次の各設問に答えなさい。

設問 1　製品の出来上がり寸法が 180.0 mm、キャビティ寸法が 183.0 mm だった場合の収縮率を千分率で算出し、解答欄に記入しなさい。ただし、解答に小数点以下の端数がある場合は、小数第 2 位を四捨五入し、小数第 1 位までの値で答えること。

設問 2　収縮率が 16/1000 の PP 製品と、収縮率が 4/1000 の PET 製品を、下表の金型で作成した。金型の測定箇所(A)及び(B)における、それぞれの製品寸法①～④を求め、解答欄に(mm)で記入しなさい。ただし、解答に小数点以下の端数がある場合は、小数第 2 位を四捨五入し、小数第 1 位までの値で答えること。

項目	PP 容器	PET 容器
金型測定箇所（A）	155.0 mm	120.0 mm
金型測定箇所（B）	95.0 mm	90.0 mm
製品寸法（A）	（　①　）mm	（　③　）mm
製品寸法（B）	（　②　）mm	（　④　）mm

令和４年度　技能検定
２級プラスチック成形(真空成形作業)
実技試験(計画立案等作業試験)問題

1　試験時間

1時間

2　注意事項

(1)　係員の指示があるまで、この表紙はあけないでください。

(2)　解答用紙に、受検番号及び氏名を必ず記入してください。

(3)　係員の指示に従って、この試験問題が表紙を含めて8ページであることを確認してください。それらに異常がある場合は、黙って手を挙げてください。

(4)　試験開始の合図で始めてください。

(5)　解答は、解答用紙の解答欄へ記入してください。
なお、要求している解答以外は記入しないでください。※欄には何も記入しないでください。

(6)　試験中は、携帯電話、スマートフォン、ウェアラブル端末等の使用(電卓機能の使用を含む。)を禁止とします。

(7)　試験中、質問があるときは、黙って手を挙げてください。ただし、試験問題の内容、漢字の読み方等に関する質問にはお答えできません。

(8)　試験終了時刻前に解答ができあがった場合は、黙って手を挙げて、係員の指示に従ってください。

(9)　試験中に手洗いに立ちたいときは、黙って手を挙げて、係員の指示に従ってください。

(10)　試験終了の合図があったら、筆記用具を置き、係員の指示に従ってください。

(11)　試験終了後、解答用紙を提出してください。

(12)　計算等は、問題用紙の余白又は裏面を使用して行ってください。

3　試験に使用できる用具等一覧

品　　名	寸法又は規格	数量	備　　考
筆記用具	鉛筆、消しゴム等	一式	
電子式卓上計算機	電池式(太陽電池式含む)	1	

問題 1

下表は、プラスチック素材を燃焼させたときの炎の色、煙の色及びその素材の特徴を示したものである。表中の素材A～Cに当てはまる最も適切な素材を、語群からそれぞれ一つずつ選び、解答欄に記号で答えなさい。ただし、同一記号は重複して使用しないこと。

プラスチック素材を燃焼させたときの炎の色、煙の色及び特徴

素材	炎の色	煙の色	素材の特徴
A	橙(だいだい)色含む青色	僅かな白煙	燃焼すると、ごく弱いパラフィンに似た特異臭がする。
B	赤と青の炎	激しい黒煙	燃えにくい(自己消化する)。 燃焼すると強烈な塩素臭がする。
C	橙(だいだい)色の炎	黒煙	素材はガソリンに溶ける。 燃焼すると黒いススを出す。

【語群】

記号	素材
ア	PP
イ	PS
ウ	PVC

問題2

下記は、成形条件の設定に関する記述である。

文中の(　　)内に当てはまる最も適切な語句を、語群からそれぞれ一つずつ選び、解答欄に記号で答えなさい。ただし、同一記号は重複して使用しないこと。

1　一般に、(　①　)の設定は、成形面積の中央部を低く、外周部を高く設定する。

2　成形品にチルマークが目立つので、(　②　)を高くした。

3　離型の際、底潰れが出るので、(　③　)を下げた。

4　所定のサイクルタイムをオーバーするので、ヒーター基準温度を上げ、(　④　)を短くした。

5　成形品の変形が見受けられるので、(　⑤　)を長くした。

【語群】

記号	語句	記号	語句	記号	語句
ア	金型温度	イ	プラグ温度	ウ	ヒーター温度
エ	離型遅れ	オ	加熱時間	カ	真空時間
キ	離型圧力	ク	圧空圧力		

問題3

下図は、真空成形機の金型の取付け手順についてのフロー図である。
図中の(　　)内に当てはまる適切な手順を、語群からそれぞれ一つずつ選び、解答欄に記号で答えなさい。ただし、同一記号は重複して使用しないこと。

<金型の取付け手順>

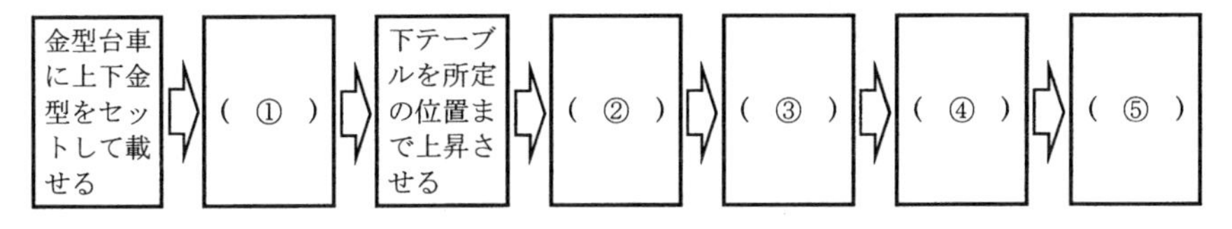

【語群】

記号	手順
ア	金型をクランプする
イ	金型を下テーブルに押し込み、位置決めピンに合わせる
ウ	上テーブルを所定の位置まで下降させる
エ	上下金型を開く
オ	温調ホースを接続する

問題4

下図は、成形品の二次加工のトリミングの抜型構造図である。この図を基に、次の各設問に答えなさい。

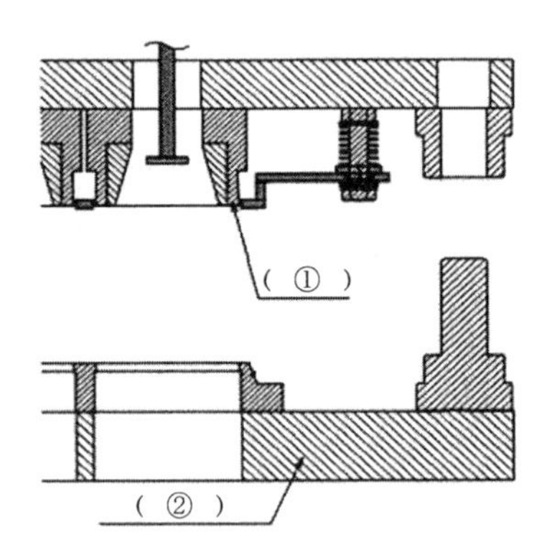

【　A　】抜型構造

設問1　図中の【　A　】内に当てはまる適切な語句を、語群1から一つ選び、解答欄に記号で答えなさい。

【語群1】

記号	語句
ア	トムソン式
イ	ダイ・パンチ式

設問2　図中の(　①　)及び(　②　)に当てはまる適切な語句を、語群2からそれぞれ一つずつ選び、解答欄に記号で答えなさい。ただし、同一記号は重複して使用しないこと。

【語群2】

記号	語句
ア	ダイプレート
イ	トムソン刃
ウ	パンチプレート
エ	パンチ
オ	ガイドブシュ
カ	製品ガイド

問題5

下図は、真空成形機(真空圧空成形機)の概略図である。

型替時に行う成形機の調整について、図中の(　　)内に当てはまる適切な装置名を、語群からそれぞれ一つずつ選び、解答欄に記号で答えなさい。ただし、同一記号は重複して使用しないこと。

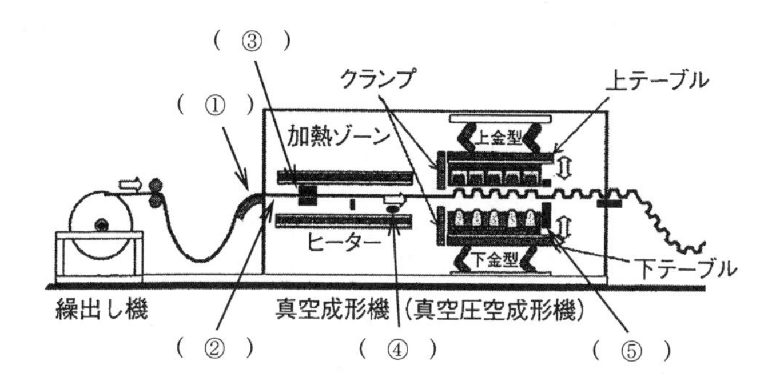

【語群】

記号	装置名	記号	装置名
ア	オーバーサグ検出センサ	イ	ウォータージャケット
ウ	出口クランプ	エ	送りチェーンレール(幅調整)
オ	入口シートガイド	カ	出口側シート受け
キ	シート持ち上げ装置		

問題6

下記は、真空圧空成形機の起動手順に関する記述である。

文中の(　　)内に当てはまる適切な語句を、語群からそれぞれ一つずつ選び、解答欄に記号で答えなさい。ただし、同一記号は重複して使用しないこと。

1　コンプレッサのオイルが適量であることを確認後、コンプレッサを起動する。次に成形機入口配管の冷却水流量、冷却水圧力及び(　①　)が正常であることを確認する。

2　金型温度調節機入口配管の(　②　)が正常であることを確認し、金型温度調節器の操作電源をON にして運転開始する。金型温度調節機の設定温度と金型へ循環させる(　③　)が正常であることを確認する。一般に、ヒータ温度よりも(　④　)を所定の値にする方が時間がかかるため、早めに起動スイッチをONにする。

【語群】

記号	語句	記号	語句	記号	語句
ア	材料温度	イ	金型温度	ウ	排水圧力
エ	返媒圧力	オ	熱媒体流量	カ	冷却水圧力
キ	給気圧力				

問題 7

プラスチックシートを真空成形法で成形するときの収縮について、次の各設問に答えなさい。

設問 1　製品の出来上がり寸法が 109.5 mm、キャビティ寸法が 110.0 mm だった場合の収縮率を千分率で算出し、解答欄に記入しなさい。ただし、解答に小数点以下の端数がある場合は、小数第 2 位を四捨五入し、小数第 1 位までの値で答えること。

設問 2　収縮率が 16/1000 の PP 製品と、収縮率が 4/1000 の PET 製品を、下表の金型で作成した。金型の測定箇所(A)及び(B)における、それぞれの製品寸法①～④を求め、解答欄に(mm)で記入しなさい。ただし、解答に小数点以下の端数がある場合は、小数第 2 位を四捨五入し、小数第 1 位までの値で答えること。

項目	PP 容器	PET 容器
金型測定箇所 (A)	150 mm	110 mm
金型測定箇所 (B)	100 mm	90 mm
製品寸法 (A)	（ ① ）mm	（ ③ ）mm
製品寸法 (B)	（ ② ）mm	（ ④ ）mm

令和３年度　技能検定
２級プラスチック成形(真空成形作業)
実技試験(計画立案等作業試験)問題

1　試験時間

1時間

2　注意事項

（1）係員の指示があるまで、この表紙はあけないでください。
（2）解答用紙に、受検番号及び氏名を必ず記入してください。
（3）係員の指示に従って、この試験問題が表紙を含めて8ページであることを確認してください。それらに異常がある場合は、黙って手を挙げてください。
（4）試験開始の合図で始めてください。
（5）解答は、解答用紙の解答欄へ記入してください。
　なお、要求している解答以外は記入しないでください。※欄には、何も記入しないでください。
（6）試験中は、携帯電話、スマートフォン、ウェアラブル端末等の使用(電卓機能の使用を含む。)を禁止とします。
（7）試験中、質問があるときは、黙って手を挙げてください。ただし、試験問題の内容、漢字の読み方等に関する質問にはお答えできません。
（8）試験終了時刻前に解答ができあがった場合は、黙って手を挙げて、係員の指示に従ってください。
（9）試験中に手洗いに立ちたいときは、黙って手を挙げて、係員の指示に従ってください。
(10) 試験終了の合図があったら、筆記用具を置き、係員の指示に従ってください。
(11) 試験終了後、解答用紙を提出してください。
(12) 計算等は、問題用紙の余白又は裏面を使用して行ってください。

3　試験に使用できる用具等一覧

品　　名	寸法又は規格	数量	備　　考
筆記用具	鉛筆、消しゴム等	一式	
電子式卓上計算機	電池式(太陽電池式含む)	1	

問題 1

下記の記述は、材料の特徴を記したものである。①～⑦に当てはまる容器を、下記の語群の中からそれぞれ一つずつ選び、解答欄に記号で答えなさい。ただし、同一記号は重複して使用しないこと。

① シートを縦横二軸延伸することにより強度を増し、耐寒性にも優れており高い透明性がある。

② 耐寒性、耐衝撃性、深絞り性にも優れており、衝撃に強く、乳白色で半透明である。

③ 軽量で断熱性、保温性に優れており、ポリスチレン樹脂を発泡させたものである。

④ 半透明で、曲げても割れにくく、耐熱性、耐油性に優れている。

⑤ プラスチック原料に無機物を配合した材料で、耐熱性や剛性が高い。

⑥ 透明性が高く、耐油性、成形性、ガスバリア性にも優れているが、耐熱性は低い。

⑦ 耐熱性(220℃まで)が高く、調理済み食品のスチームオーブンレンジによる再加熱用容器として適している。

【語群】

記号	語句
ア	PP 容器
イ	PSP 容器
ウ	PPF 容器
エ	A-PET 容器
オ	C-PET 容器
カ	HIPS 容器
キ	OPS 容器

問題２

下記の①～④の記述は、成形条件の設定時の不具合状況である。防止対策として当てはまるものを、下記の語群の中からそれぞれ一つずつ選び、解答欄に記号で答えなさい。ただし、同一記号は重複して使用しないこと。

① 上型真空成形において、真空ゲージが大きくドロップし、外周部製品の型再現性が悪く(あまく)なる。

② 真空圧空成形において、サイクルエラーが発生した。

③ 熱板圧空成形において、製品(OPS)にレインドロップが目立つ。

④ マッチモールド成形において、製品(PSP深絞り)に中割れが発生した。

【語群】

記号	内容
ア	プラグの温調温度を上げる。
イ	ヒータ温度を下げ、加熱時間の設定を長くする。
ウ	ヒータ温度の設定値を下げる。
エ	上テーブルのシャットハイト位置をシート面より下にする。
オ	ヒータ温度を上げ、加熱時間の設定を短くする。
カ	熱板温度を下げる。
キ	熱板の表面を磨く。

問題3

下記に示した図は、真空圧空成形における金型図を示している。この図を基に、次の各設問に答えなさい。

＜金型図＞

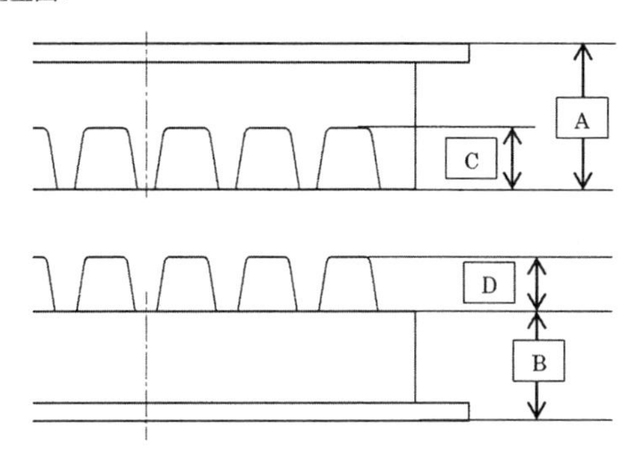

上型高さA	＝	200 mm
下型高さB	＝	150 mm
成形品高さC	＝	85 mm
プラグ高さD	＝	75 mm

設問1

成形品パスクリアランスを30mmとした場合の以下の設定値を答えなさい。

なお、成形品パスクリアランスとは、上型が開いた時の成形品と金型との間隔のことである。

① 上テーブルのオープンハイト

② 上テーブルのシャットハイト

設問2

使用材料のドローダウンを90mm、シートパスクリアランスを50mmとした場合の以下の設定値を答えなさい。

なお、シートパスクリアランスとは、下型が開いた時の送りシートとプラグトップとの間隔のことである。

① 下テーブルのオープンハイト

② 下テーブルのシャットハイト

問題4

次の表は、ある製品のフランジ厚みを測定した結果である。この表について、次の各設問に答えなさい。

フランジ厚み測定結果

単位mm

キャビティ番号	キャビティ番号末尾	
	1	2
10	0.33	0.35
20	0.32	0.34
30	0.34	0.30

キャビティ配列図

11	12
21	22
31	32

設問1　最大値、最小値を答えなさい。

設問2　フランジ厚みの平均値 $\bar{x}$ を求めなさい。

設問3　フランジ厚みの範囲Rを求めなさい。

問題5

寸法が幅 960mm×長さ 1,070mm の金型を用いて、圧空圧力 0.3MPa で成形する場合、真空圧空成形機の型締力は何 kN 以上必要か算出し、解答欄に記入しなさい。ただし、解答に小数点以下の端数がある場合は、小数第 2 位を切り上げて、小数第 1 位までの値で答えること。

なお、圧空圧力は、金型寸法全体に掛かるものとする。

問題6

ある製品を生産した結果、以下のとおりであった。この結果を基に、次の各設問に答えなさい。

項目	数値
金型の製品取り数	40個／shot
成形送り長さ	1,060mm
材料の長さ	200m巻/本のシート30本
良品の総数	218,950個

設問 1　この生産結果について、成形総数(計算値)を算出しなさい。ただし、材料 1 本毎に成形ショットの小数点以下は切り捨てること。

設問 2　設問 1 で算出した成形総数を基に成形不良率(%)を算出しなさい。ただし、解答に小数点以下の端数がある場合は、小数第 2 位を四捨五入し、小数第 1 位までの値で答えること。

問題 7

下記の図を参考に、次の各設問に答えなさい。

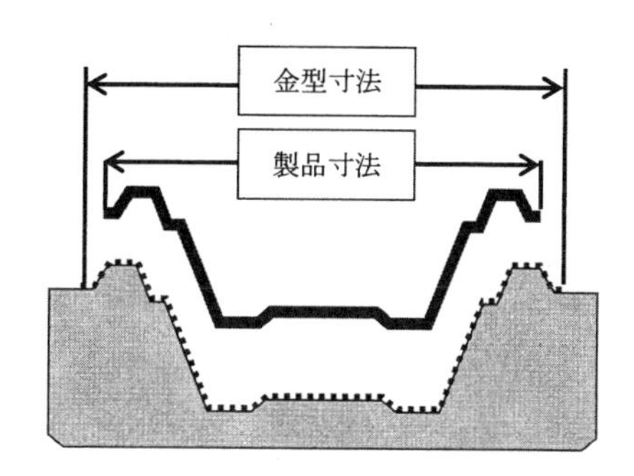

設問 1　金型寸法が 183mm、製品寸法が 180mm だった場合の収縮率を千分率で算出し、解答欄に記入しなさい。ただし、解答に小数点以下の端数がある場合は、小数第 2 位を四捨五入し、小数第 1 位までの値で答えること。

設問 2　製品寸法が 230mm、収縮率 9／1000 の場合の金型寸法(mm)を算出し、解答欄に記入しなさい。ただし、解答に小数点以下の端数がある場合は、小数第 2 位を四捨五入し、小数第 1 位までの値で答えること。

令和５年度　技能検定
１級プラスチック成形(真空成形作業)
実技試験問題概要

実技試験は、次に示す判断等試験及び計画立案等作業試験により行う。

1　判断等試験

(1)　試験実施日
令和5年9月3日(日)

(2)　試験時間
35分

(3)　問題の概要
成形条件の設定、成形機・成形法の理解及び選定、測定器の判定、成形不良の原因とその防止対策の判定等について行う。

(4)　持参用具等

品　　名	寸法又は規格	数量	備　　考
筆記用具	鉛筆、消しゴム等	一式	

(5)　その他
試験中は、参考書やメモ(本概要への書き込みを含む。)等を参照することは禁止とする。
試験中は、携帯電話、スマートフォン、ウェアラブル端末等の使用(電卓機能の使用を含む。)は禁止とする。

2　計画立案等作業試験

(1)　試験実施日
令和5年9月3日(日)

(2)　試験時間
1時間

(3)　問題の概要
材料選定、成形条件の設定、データの分析、成形機の理解、トリミング機の理解、生産日数の算出、要求品質に適応した技術設計(材料・成形機・金型)、歩留り率の算出等について行う。

(4)　持参用具等

品　　名	寸法又は規格	数量	備　　考
筆記用具	鉛筆、消しゴム等	一式	
電子式卓上計算機	電池式（太陽電池式含む）	1	

(5)　その他
試験中は、参考書やメモ(本概要への書き込みを含む。)等を参照することは禁止とする。
試験中は、携帯電話、スマートフォン、ウェアラブル端末等の使用(電卓機能の使用を含む。)は禁止とする。

令和5年度　技能検定
1級プラスチック成形(真空成形作業)
実技試験(計画立案等作業試験)問題

1　試験時間

1時間

2　注意事項

（1）係員の指示があるまで、この表紙はあけないでください。
（2）解答用紙に、受検番号及び氏名を必ず記入してください。
（3）係員の指示に従って、この試験問題が表紙を含めて10ページであることを確認してください。それらに異常がある場合は、黙って手を挙げてください。
（4）試験開始の合図で始めてください。
（5）解答は、解答用紙の解答欄へ記入してください。
なお、要求している解答以外は記入しないでください。※欄には何も記入しないでください。
（6）試験中は、携帯電話、スマートフォン、ウェアラブル端末等の使用(電卓機能の使用を含む。)を禁止とします。
（7）試験中、質問があるときは、黙って手を挙げてください。ただし、試験問題の内容、漢字の読み方等に関する質問にはお答えできません。
（8）試験終了時刻前に解答ができあがった場合は、黙って手を挙げて、係員の指示に従ってください。
（9）試験中に手洗いに立ちたいときは、黙って手を挙げて、係員の指示に従ってください。
(10) 試験終了の合図があったら、筆記用具を置き、係員の指示に従ってください。
(11) 試験終了後、解答用紙を提出してください。
(12) 計算等は、問題用紙の余白又は裏面を使用して行ってください。

3　試験に使用できる用具等一覧

品　　名	寸法又は規格	数量	備　　考
筆記用具	鉛筆、消しゴム等	一式	
電子式卓上計算機	電池式(太陽電池式含む)	1	

問題 1

下記に提示した表には、食品包装容器の用途及びその容器に使用される材料の要求品質特性の一部が示されている。この表を基に次の各設問に答えなさい。

	用　　途	要求される品質特性	
1	レンジ対応フードパック(110 °C 対応)	透明性	①
2	チルド弁当容器蓋(80 °C 対応)	透明性	②
3	味噌容器(常温保存)	透明性	③

設問 1　要求される品質特性の①～③に当てはまる、要求されるもう一つの特性を、【語群 1】からそれぞれ一つずつ選び、解答欄に記号で答えなさい。ただし、同一記号を重複して使用しないこと。

【語群 1】

記号	語句	記号	語句	記号	語句
ア	耐熱性	イ	断熱性	ウ	耐寒性
エ	吸水性	オ	ガスバリアー性	カ	遮光性

設問 2　表の 1～3 項の各要求品質を満たす材料として適切なものを、【語群 2】からそれぞれ一つずつ選び、解答欄に記号で答えなさい。ただし、同一記号を重複して使用しないこと。

【語群 2】

記号	語句	記号	語句	記号	語句
ア	HIPS	イ	PP	ウ	PPF
エ	耐熱 PSP	オ	OPS	カ	A-PET

問題2

下記は、真空圧空成形の型替後の成形条件出し手順の一例を記したものである。

文中の(　　)内に当てはまる適切な語句を、【語群】からそれぞれ一つずつ選び、解答欄に記号で答えなさい。ただし、同一記号は重複して使用しないこと。

1 型替え後、シートと型のサイズに合わせて、(　①　)や水冷ジャケットの位置などを設定する。
2 成形タイマーの各項目について、(　②　)や遅れを設定する。
3 成形タイマーとは別に、成形品の形状や材料特性によって、テーブルの(　③　)、ストロークなどを設定するほかに、(　④　)、型締力、離型圧力なども設定する。
4 材料別の成形温度の目安などを参考に、使用するシートの材質や厚みに対して、やや(　⑤　)のヒータ温度に設定する。
5 例えば、ドローダウンするシートを上型成形、下プラグ、上真空、下圧空の成形方式で、成形を開始する場合、シートの加熱状態は、(　⑥　)や型再現性によって判断する。まず、多数個取り成形ショット品の(　⑦　)が良品を得られるように、大まかにヒータの設定温度と加熱時間を調整する。
6 成形品の(　⑧　)を確認してテーブルや(　⑨　)を調整しながら、ヒータ温度バランスを調整して、全体が良品になるようにする。その後、目標(　⑩　)まで調整する。

【語群】

記号	語句	記号	語句	記号	語句
ア	高め	イ	サイクルタイム	ウ	外周付近
エ	ドローダウンの具合	オ	中央付近	カ	圧空圧力
キ	低め	ク	肉厚分布	ケ	出口側
コ	排気時間	サ	チェーンレールの幅	シ	下テーブルストローク
ス	真空の遅れ	セ	作動時間	ソ	速度
タ	成形品の質量	チ	入口クランプ	ツ	上テーブルストローク

問題 3

次の記述は、一般的な工程管理に関するものである。

文中の(　　)内に当てはまる最も適切な語句を、【語群】からそれぞれ一つずつ選び、解答欄に記号で答えなさい。ただし、同一記号は重複して使用しないこと。

製造工程の管理

1 原材料の受入検査から完成品の製品検査、梱包、出荷までを含めた全行程にわたって、工程ごとに要因系の(　①　)とその結果としての(　②　)について、だれが、いつ、どこで、何を、どのように、管理、検査するのかなどを一覧表の形式でまとめた(　③　)を作成し、それに基づくプロセスを重視したプロセス管理を実施する。

2 人が入れ替わっても、一定のプロセスが実行され、確実に同じアウトプットを得るために(　④　)を定めて順守する。

3 工程検査では、検査項目ごとに判定基準を規定し、(　⑤　)が発生した場合の処置方法を規定して適切に処理する。

【語群】

記号	語句	記号	語句	記号	語句
ア	作業標準	イ	確認事項	ウ	トラブル
エ	不適合品	オ	QC 工程表	カ	品質特性
キ	管理項目	ク	検査規格書		

問題4

設問1　下表は、ダイ・パンチ式抜型における打抜きせん断力の算出条件を示している。
この表を基に、この製品を打ち抜く時に必要な打抜きせん断力(kN)を算出し、解答欄に記入しなさい。ただし、解答に小数点以下の端数がある場合は、小数第2位を四捨五入し、小数第1位までの数値で答えること。

項目	数値
カット径	120 mm×150 mm
シート厚み	0.4 mm
抜型取り数	6連抜き
材料せん断応力	OPS = 51.9 N/mm²

設問2　この製品の打抜きせん断力を軽減するため、下表のようなパンチの段差加工を施し、外側から3段階で打ち抜き、段差は0.8mmとした。この製品を打ち抜く最小推力のトリミング機を、【語群】から一つ選び、解答欄に記号で答えなさい。

パンチ段差表

	①	②	③	④	⑤	⑥
パンチ高さ	H	H−0.8	H−1.6	H−1.6	H−0.8	H

【語群】

記号	トリミング機
ア	トリミング推力 50 kN のトリミング機
イ	トリミング推力 70 kN のトリミング機
ウ	トリミング推力 100 kN のトリミング機

問題 5

真空圧空成形機で、寸法が幅960 mm×長さ1005 mmの金型で成形する場合について、次の各設問に答えなさい。ただし、圧空圧力は、金型寸法全体に掛かるものとする。

設問 1　この金型で、圧空圧力 0.3 MPa で成形する場合、必要な型締め力(kN)を算出し、解答欄に記入しなさい。ただし、解答に小数点以下の端数がある場合は、小数第 2 位を四捨五入し、小数第 1 位までの値で答えること。

設問 2　この金型で、圧空圧力 0.5 MPa で成形したところ、圧空エアが漏れた。その時の対応として最も適切なものを、下記の【語群】の中から一つ選び、解答欄に記号で答えなさい。ただし、設定型締め力は 400 kN とし、金型にエア漏れなどの不備はないものとする。

【語群】

記号	語句
ア	圧空タイミングが遅いため圧空が漏れたので、圧空タイミングを早くした。
イ	型締め力は十分であったが、圧空が漏れたので、シャットハイトを狭くして圧空が漏れないように調整した。
ウ	型締力が低いため圧空が漏れたので、型締力を 460 kN に上げた。
エ	圧空圧力が高いため圧空が漏れたので、圧空圧力を 0.4 MPa に下げた。
オ	排気時間が長過ぎて圧空が漏れたので、排気時間を短くした。

問題6

下表は、ある製品を生産した結果である。この表について、次の各設問に答えなさい。

項目	内容
一日の負荷時間	7時間
停止ロス	負荷時間の10 %
速度ロス	ないものとする
良品生産数量	2,000,000 個
金型の製品取り数	40 個/shot
成形不良率	2.0 %
サイクルタイム	5.0 sec/shot

設問1　良品 2,000,000 個を生産するために必要な shot 数を算出し、解答欄に記入しなさい。ただし、解答に小数点以下の端数がある場合は、小数点以下を切り上げて、整数で答えること。

設問2　良品 2,000,000 個を生産するために必要な生産日数を求め、解答欄に記入しなさい。ただし、解答に小数点以下の端数がある場合は、小数点以下を切り上げ、整数で答えること。

問題 7

下図は、シートと金型の真空孔との【関係図】である。成形型として、シートとキャビティ間の空気が完全に抜ける構造を基本とする。エアーが最後まで抜けない部分(コーナー部)に加工する真空孔を、φ0.5 mm 前後、ピッチ 20〜30 mm 程度の目安で加工されている。また、下表は、【メス型の仕様】である。

この図及び表を基に、次の各設問に答えなさい。

なお、円周率π＝3.14 とする。

【関係図】

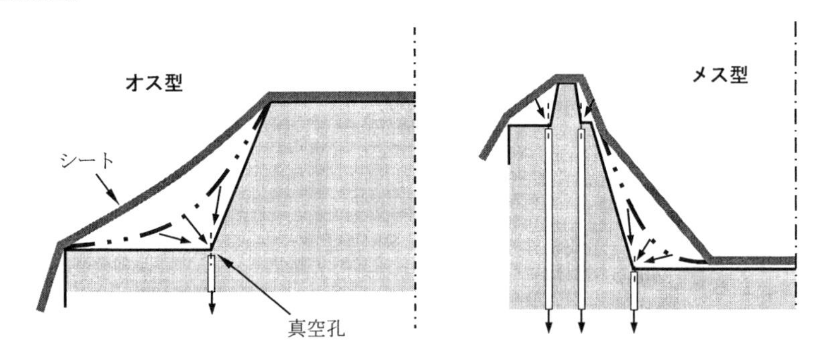

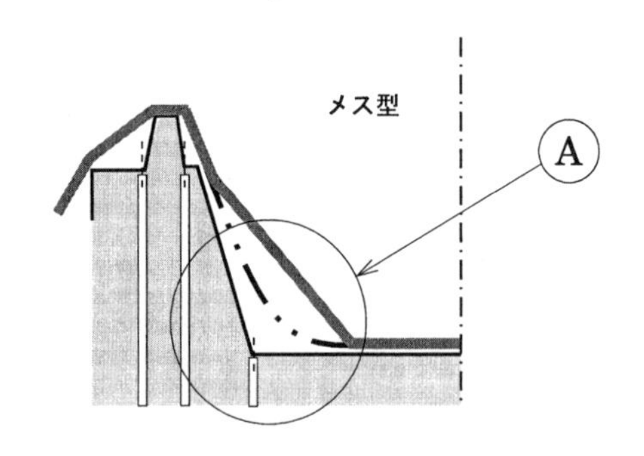

【メス型の仕様】

項目	内容
底辺寸法	120 mm×180 mm
真空孔径	φ0.5 mm
真空孔ピッチ及び個数	20〜30 mm 程度×30 個
スリット幅	0.2 mm

設問1　底辺寸法に加工されている真空孔の面積(mm²)を求め、解答欄に記入しなさい。ただし、解答に小数点以下の端数がある場合は、小数第2位以下は切り捨て、小数第1位までの数値で答えること。

設問2　Ⓐ 部の成形品があまいため、スリット構造を検討したい。真空孔からスリット構造に変更する場合のスリット面積(mm²)を求め、解答欄に記入しなさい。ただし、解答に小数点以下の端数がある場合は、小数第1位を切り上げて、整数で答えること。

設問3　真空孔からスリット構造にした場合の排気能力の向上は何倍になるかを求め、解答欄に記入しなさい。ただし、解答に小数点以下の端数がある場合、小数第1位を切り上げて、整数で答えること。

問題 8

下表は、ある製品を生産した結果である。この表を基に、次の各設問に答えなさい。ただし、成形時のシート引込みはないものとする。

項目	結果
材料(PS)総投入質量	10 ton
良品のシート長さ	10000 m
シートの厚み	1.2 mm
シートの幅	680 mm
金型の製品取り数	21 個/shot 7 (幅)×3 (送り)
材料送り長さ	270 mm
良品数	766000 個
製品の口径	80 ϕ
材料(PS)の比重	1.05

設問 1　シーティング時の歩留り率(%)を求め、解答欄に記入しなさい。ただし、シート厚みのばらつきなどはないものとする。また、解答に小数点以下の端数がある場合は、小数第 2 位を四捨五入し、小数第 1 位までの数値で答えること。

設問 2　成形不良率(%)を求め、解答欄に記入しなさい。ただし、シーティングと成形はインラインで連続して生産するものとする。また、解答に小数点以下の端数がある場合は、小数第 2 位を四捨五入し、小数第 1 位までの数値で答えること。

設問 3　シーティングから成形までの合計歩留り率(%)を求め、解答欄に記入しなさい。ただし、解答に小数点以下の端数がある場合は、小数第 2 位を四捨五入し、小数第 1 位までの数値で答えること。

令和４年度　技能検定
１級プラスチック成形(真空成形作業)
実技試験(計画立案等作業試験)問題

1　試験時間

1時間

2　注意事項

（1）　係員の指示があるまで、この表紙はあけないでください。
（2）　解答用紙に、受検番号及び氏名を必ず記入してください。
（3）　係員の指示に従って、この試験問題が表紙を含めて10ページであることを確認してください。それらに異常がある場合は、黙って手を挙げてください。
（4）　試験開始の合図で始めてください。
（5）　解答は、解答用紙の解答欄へ記入してください。
なお、要求している解答以外は記入しないでください。※欄には何も記入しないでください。
（6）　試験中は、携帯電話、スマートフォン、ウェアラブル端末等の使用(電卓機能の使用を含む。)を禁止とします。
（7）　試験中、質問があるときは、黙って手を挙げてください。ただし、試験問題の内容、漢字の読み方等に関する質問にはお答えできません。
（8）　試験終了時刻前に解答ができあがった場合は、黙って手を挙げて、係員の指示に従ってください。
（9）　試験中に手洗いに立ちたいときは、黙って手を挙げて、係員の指示に従ってください。
（10）　試験終了の合図があったら、筆記用具を置き、係員の指示に従ってください。
（11）　試験終了後、解答用紙を提出してください。
（12）　計算等は、問題用紙の余白又は裏面を使用して行ってください。

3　試験に使用できる用具等一覧

品　　名	寸法又は規格	数量	備　　考
筆記用具	鉛筆、消しゴム等	一式	
電子式卓上計算機	電池式(太陽電池式含む)	1	

問題 1

下図は、シャット時及びオープン時の金型位置を表している。この図を基に、次の各設問に答えなさい。

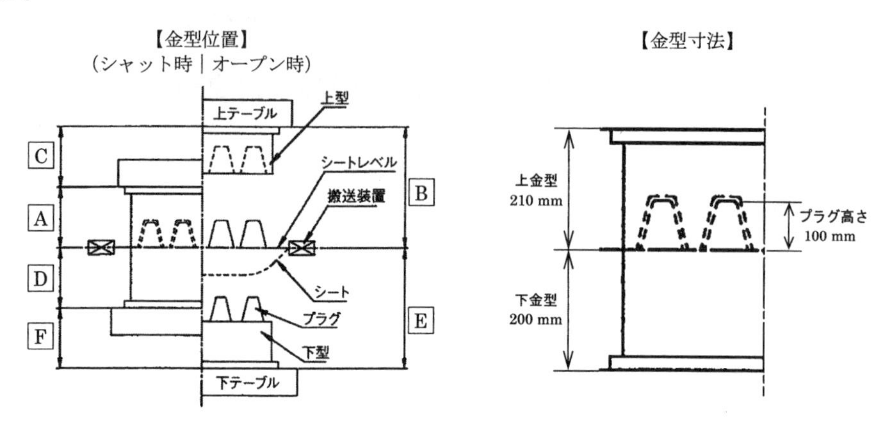

設問 1　提示した図の A~F の寸法線が示すものとして、適切なものを語群 1 からそれぞれ一つずつ選び、解答欄に記号で答えなさい。ただし、同一記号は重複して使用しないこと。

【語群 1】

記号	語句	記号	語句
ア	下テーブルストローク	イ	上テーブルストローク
ウ	下テーブルオープンハイト	エ	上テーブルシャットハイト
オ	ドローダウン量	カ	下テーブルシャットハイト
キ	上テーブルオープンハイト	ク	製品高さ (成形深さ)

設問 2　金型寸法及び製品高さ (成形深さ) 120 mm、ドローダウン量 60 mm の条件から、B、C、E、F の各寸法として、適切なものを語群 2 からそれぞれ一つずつ選び、解答欄に記号で答えなさい。ただし、同一記号は重複して使用しないこと。

【語群 2】

記号	寸法	記号	寸法	記号	寸法
ア	125 mm	イ	165 mm	ウ	200 mm
エ	210 mm	オ	335 mm	カ	365 mm

問題2

下図は、成形品の二次加工のトリミングの抜型構造図である。この図を基に、次の各設問に答えなさい。

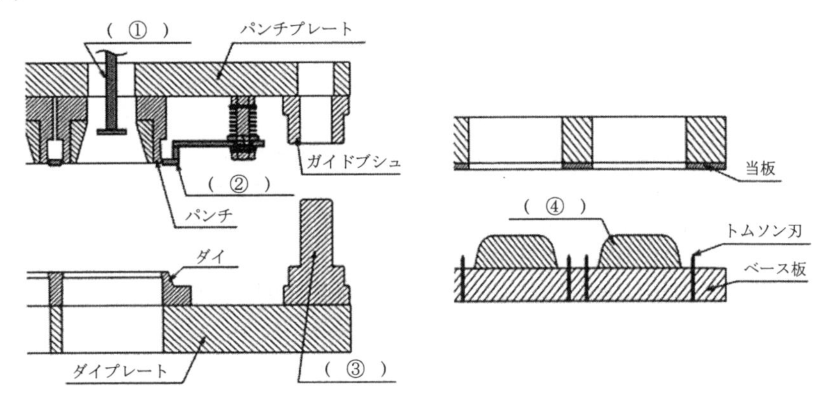

ダイ・パンチ式抜型構造　　　　トムソン式抜型構造

設問1　提示した図中の(　　)内に当てはまる適切な語句を、語群1からそれぞれ一つずつ選び、解答欄に記号で答えなさい。ただし、同一記号は重複して使用しないこと。

【語群1】

記号	語句
ア	製品ガイド
イ	ガイドポスト
ウ	ノックアウト
エ	ストリッパ

設問2　ダイ・パンチ式抜型及びトムソン式抜型のそれぞれの特徴についての記述として適切なものを、語群2からそれぞれ二つずつ選び、解答欄に記号で答えなさい。ただし、同一記号は重複して使用しないこと。

【語群2】

記号	語句
ア	刃が切れなくなった際は、刃を新品と交換する。
イ	刃が切れなくなった際は、刃の叩きだし、研磨などで調整をする。
ウ	ヒゲやバリの発生を防止できる。
エ	立体的なトリミングが可能

問題3

下記は、型替時の成形機の各装置の調整に関して記したものである。

文中の(　　)内に当てはまる適切な語句を、語群からそれぞれ一つずつ選び、解答欄に記号で答えなさい。ただし、同一記号は重複して使用しないこと。

1　シートと型のサイズに合わせて(　①　)の幅を調整する。

2　(　②　)は、次の成形ショットになるシートに余分な熱が届かないように、シートとヒーター間にセットする断熱板の役割をする装置で、送り寸法に合わせ調整する。

3　(　③　)は、ショット間にセットし、シートを持ち上げ、垂れ下がりを防止する装置である。

4　(　④　)は、直前のショット品の変形防止や現在の成形ショット品の離型性の確保に有効である。

5　(　⑤　)の調整は、使用するシート幅に合わせる。

6　(　⑥　)は、シートがヒーターで加熱されて伸びて垂れ下がったときや、送りレールから外れたときなど、シートが一定以上垂れ下がると、成形機の運転を止める。

7　(　⑦　)は、シートのドローダウンが大きく、成形時にしわが発生するときなどに使用する。

【語群】

記号	語句	記号	語句
ア	ウォータージャケット	イ	入口クランプ
ウ	オーバーサグ検出センサ	エ	出口クランプ
オ	シート持上げ装置	カ	入口側シートガイド
キ	チェーンレール	ク	出口側シート受け
ケ	チェーンレールシフト		

問題 4

下記は、セラミックヒータを用いた真空圧空成形機の起動手順に関して記したものである。
文中の(　　)内に当てはまる適切な語句を、語群からそれぞれ一つずつ選び、解答欄に記号で答えなさい。ただし、同一記号は重複して使用しないこと。

1 成形機の電源をON、操作電源をONにし、成形機の材料送りチェーン、(①)、(②)などの各経路に冷却水が正常に流れていることを確認する。また、成形テーブルが原点にあることを確認する。

2 成形機のセラミックヒータには、横に退避、上下に退避、貝のように開いて退避、固定されていて退避しないなどのタイプがある。この中で、退避しないタイプについては、(③)を起動してからヒータのスイッチをONにし、ヒータが設定温度になるまで(④)を行う。

3 金型とヒータの温度が十分に安定したら、真空ポンプのスイッチを ON にし、真空、圧空、(⑤)、(⑥)などの圧力が正常値であることを確認してから材料を投入する。適切に加熱されたシートが成形ゾーンに来たら、成形スイッチをONにして成形を開始する。

【語群】

記号	語句	記号	語句	記号	語句
ア	離型	イ	ダイクランプ	ウ	排気
エ	材料送りチェーン	オ	ウォータージャケット	カ	入口クランプ
キ	出口クランプ	ク	バランサー	ケ	シートガイド
コ	暖機運転	サ	手動運転		

問題 5

下記は、一般的な工程管理の手順に関する記述である。

文中の(　　)内に当てはまる最も適切な語句を、語群からそれぞれ一つずつ選び、解答欄に記号で答えなさい。ただし、同一記号は重複して使用しないこと。

製造工程の管理手順

1 製造する製品の品質に直接影響する工程については(①)を作成し、製造工程のフローや工程ごとの管理項目、使用する作業標準書などを明確にする。

2 適用すべき標準として引用された規格・基準・手順書などに適合する作業(標準の順守)を行い、作業の監視及び管理は、(②)に記録する。

3 工程能力を継続的に維持するために使用する設備の適切な保全を行う。この設備保全は個別の(③)に従って行い、適切な設備保全の監視及び管理は、(④)にて行う。

4 必要な工程内検査は「(①)」、「(⑤)」にて文書化し、これに従って実施し測定検査記録票に記録する。

【語群】

記号	語句	記号	語句	記号	語句
ア	製品規格書	イ	設備点検基準書	ウ	工程チェックシート
エ	限度見本	オ	作業実施記録	カ	設備点検チェックシート
キ	検査規格書	ク	QC 工程表		

問題6

下表は、ある製品を生産した結果である。この表について、次の各設問に答えなさい。

項目	内容
金型の製品取り数	40 個/shot
1ショットの送り長さ	0.94 m
シート1本当たりの長さ	200 m/本
成形不良率 成形立上げ時100ショット その後生産時	 15 % 1.5 %

設問1　シート1本当たり成形できるショット(shot)数を求め、解答欄に記入しなさい。ただし、解答に小数点以下の端数がある場合は、小数点以下を切り捨て、整数で答えること。

設問2　製品 50,000 個を生産するために必要なシート本数を求め、解答欄に記入しなさい。ただし、解答に小数点以下の端数がある場合は、小数点以下を切り上げ、整数で答えること。

問題 7

下図は、ある成形品の製品図を、下表はその成形品の成形に使用する成形機の種類、使用材料、製品間寸法、金型 BOX 枠厚み等を示している。この図及び表を基に、次の各設問に答えなさい。

【製品図】　　（単位 mm）

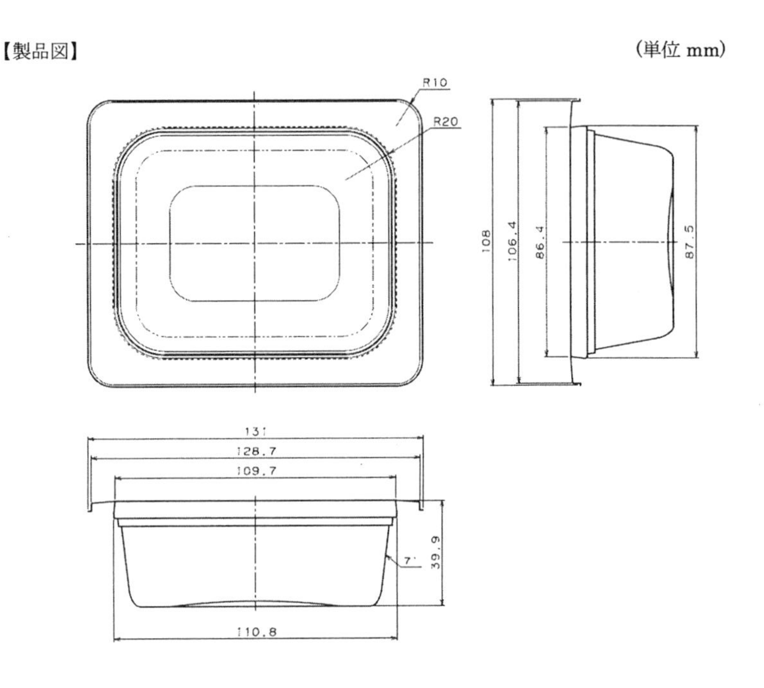

項目	内容
成形機	真空圧空成形機
最大成形面積（型外寸法）	幅：800 mm　流れ：900 mm
使用材料	PP　0.7 mm（比重：0.91）
最終収縮率	16/1000
製品間寸法	13 mm
金型 BOX 枠厚み	9 mm
トリミング方式	ダイ・パンチ式

設問1　成形面積に対し、最大取り数となる割付けをし、そのときの金型の幅方向及び流れ方向の製品寸法(mm)と列数を解答欄に記入しなさい。さらに、その割付のときの最大取り数を求め、解答欄に記入しなさい。

設問2　設問1における金型の幅方向及び流れ方向の型外寸法(mm)を求め、解答欄に記入しなさい。ただし、解答に小数点以下の端数がある場合は、小数第1位を四捨五入し、整数で答えること。

設問3　この製品の重量を測定したところ、平均重量 = 9.2 g であった。

・材料幅 = 型外寸法+20 mm (片側)

・ショット間送り寸法　20 mm

とした場合、この製品の材料歩留まりを算出し、解答欄に(%)で記入しなさい。ただし、解答に小数点以下の端数がある場合は、小数第2位を四捨五入し、小数第1位までの数値で答えること。

問題 8

下表は、ある製品を生産した結果である。また、下図は、その製品の平面図である。これらを基に、次の各設問に答えなさい。ただし、成形時のシート引込みはないものとする。

項目	結果
材料(PET)総投入質量	50 ton
良品のシート長さ	20000 m
シートの厚み	2.0 mm
シートの幅	715 mm
金型の製品取り数	12 個/shot 6 (幅)×2 (送り)
材料送り長さ	225 mm
成形不良率	1.0 %
製品の寸法 右の平面図を参照のこと	100 mm×100 mm
材料(PET)の比重	1.4

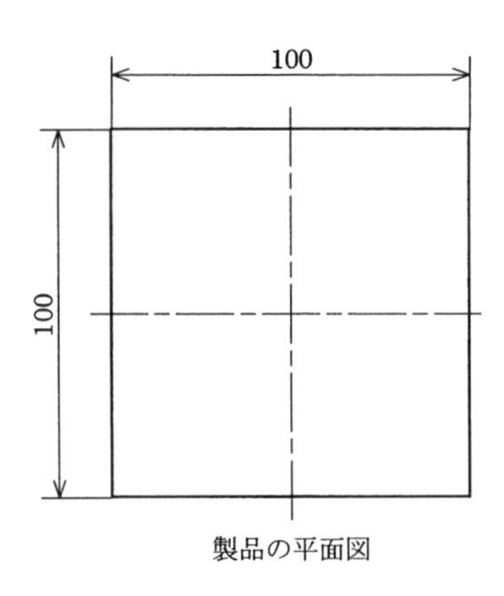

製品の平面図

設問 1　シーティング時の歩留り率(%)を求め、解答欄に記入しなさい。ただし、シート厚みのばらつきなどはないものとする。また、解答に小数点以下の端数がある場合は、小数第 2 位を四捨五入し、小数第 1 位までの数値で答えること。

設問 2　製品(良品)の総質量(kg)を求め、解答欄に記入しなさい。ただし、シーティングと成形はインラインで連続して生産するものとする。また、解答に小数点以下の端数がある場合は、小数第 2 位を四捨五入し、小数第 1 位までの数値で答えること。

設問 3　シーティングから成形までの合計歩留り率(%)を求め、解答欄に記入しなさい。ただし、解答に小数点以下の端数がある場合は、小数第 2 位を四捨五入し、小数第 1 位までの数値で答えること。

令和３年度　技能検定
１級プラスチック成形(真空成形作業)
実技試験(計画立案等作業試験)問題

1　試験時間

1時間

2　注意事項

（1）　係員の指示があるまで、この表紙はあけないでください。
（2）　解答用紙に、受検番号及び氏名を必ず記入してください。
（3）　係員の指示に従って、この試験問題が表紙を含めて10ページであることを確認してください。それらに異常がある場合は、黙って手を挙げてください。
（4）　試験開始の合図で始めてください。
（5）　解答は、解答用紙の解答欄へ記入してください。
　なお、要求している解答以外は記入しないでください。※欄には、何も記入しないでください。
（6）　試験中は、携帯電話、スマートフォン、ウェアラブル端末等の使用(電卓機能の使用を含む。)を禁止とします。
（7）　試験中、質問があるときは、黙って手を挙げてください。ただし、試験問題の内容、漢字の読み方等に関する質問にはお答えできません。
（8）　試験終了時刻前に解答ができあがった場合は、黙って手を挙げて、係員の指示に従ってください。
（9）　試験中に手洗いに立ちたいときは、黙って手を挙げて、係員の指示に従ってください。
(10)　試験終了の合図があったら、筆記用具を置き、係員の指示に従ってください。
(11)　試験終了後、解答用紙を提出してください。
(12)　計算等は、問題用紙の余白又は裏面を使用して行ってください。

3　試験に使用できる用具等一覧

品　　名	寸法又は規格	数量	備　　考
筆記用具	鉛筆、消しゴム等	一式	
電子式卓上計算機	電池式(太陽電池式含む)	1	

問題 1

下記に提示した表には、食品包装容器の用途及びその容器に使用される材料の要求品質特性の一部が示されている。この表を基に次の各設問に答えなさい。

	用　　途	要求される品質特性	
1	チルドパスタ容器－蓋(レンジ 100℃対応)	耐熱性	A
2	カップ麺容器(給湯)	耐熱性	B
3	冷凍焼餃子(レンジ対応)	耐熱性	C

設問 1　表中の A～C に当てはまる各製品に要求されるもう一つの品質特性を、下記の語群の中からそれぞれ一つずつ選び、解答欄に記号で答えなさい。ただし、同一記号を重複して使用しないこと。

【語群】

記号	語句	記号	語句	記号	語句
ア	遮光性	イ	断熱性	ウ	耐寒性
エ	耐水性	オ	ガスバリアー性	カ	透明性

設問 2　表中の 1～3 の製品の各要求品質を満たす材料として、適切なものを下記の語群の中からそれぞれ一つずつ選び、解答欄に記号で答えなさい。ただし、同一記号を重複して使用しないこと。

【語群】

記号	語句	記号	語句	記号	語句
ア	HIPS	イ	PBP(PP/EVOH/PP)	ウ	PP(ブロックコポリマー)
エ	PSP	オ	耐熱 OPS	カ	A－PET

問題２

下記の記述は、初めて用いる金型で成形条件出しをする手順の一例である。文中の（　　）内に当てはまる語句を下記の語群の中からそれぞれ一つずつ選び、解答欄に記号で答えなさい。ただし、同一記号は重複して使用しないこと。

1　型替え後、シートと型のサイズに合わせて、チェーンレールの幅や(　①　)の位置などを設定する。

2　成形タイマーとは別に、型のサイズ、(　②　)、成形材料によって、テーブルのシャットハイト、オープンハイト、(　③　)などを設定する。

3　成形タイマーの各項目について、(　④　)と遅れを設定する。

4　材料別の成形温度の目安などを参考に、使用するシートの材質や厚みに対して、やや(　⑤　)のヒータ温度に設定する。また、金型温度調節機は(　⑥　)に設定し、成形開始とともに通常の設定にする。

5　例えば、ドローダウンするシートを上型成形、下プラグ、上真空、下圧空の成形方式で成形を開始する場合、シートの加熱状態は、ドローダウンの度合いや(　⑦　)によって判断する。まず、多数個取り成形ショット品の(　⑧　)が、良品を得られるように大まかにヒータの設定温度と(　⑨　)を調整する。

6　成形品の肉厚分布を確認して(　⑩　)や真空の遅れを調整しながら、ヒータ温度バランスを調整して、全体が良品になるようにする。その後、目標サイクルタイムまで調整する。

【語群】

記号	語句	記号	語句	記号	語句
ア	テーブル	イ	離型	ウ	高め
エ	入口クランプ	オ	水冷ジャケット	カ	型再現性
キ	型締力	ク	排気	ケ	出口側
コ	入口側	サ	中央付近	シ	チェーン側
ス	外周部	セ	成形品の質量	ソ	テーブル時間
タ	作動時間	チ	加熱時間	ツ	真空時間
テ	成形品の深さ	ト	圧空時間	ナ	低め

問題 3

次の表は、ある製品のフランジ厚みを測定した結果である。この表について次の設問に答えなさい。

【フランジ厚み測定結果】

単位mm

キャビティ番号	キャビティ番号末尾	
	1	2
10	0.33	0.35
20	0.32	0.34
30	0.34	0.30

【キャビティ配列図】

11	12
21	22
31	32

設問 1　この測定結果より、平方和Sを求めなさい。

設問 2　フランジ厚みの標準偏差(mm)を求めなさい。
なお、解答は$\sqrt{\ }$表記で答えること。

問題 4

下記の表には、ダイ・パンチ式抜型における打抜きせん断力の算出条件が示されている。この表を基に、次の各設問に答えなさい。ただし、円周率は 3.14 で計算すること。

項目	数値
カット径	φ 120 mm
シート厚み	0.7 mm
抜型取り数	7　連抜き
材料せん断応力	HIPS＝51.0　N／mm^2

設問 1　この製品を打ち抜く時に必要な打抜きせん断力(kN)を算出し、解答欄に記入しなさい。ただし、解答に小数点以下の端数がある場合は、小数第 2 位を四捨五入し、小数第 1 位までの数値で答えること。

設問 2　この製品の打抜きせん断力を軽減するため、表のようなパンチの段差加工を施し、外側から 3 段階で打ち抜き、段差は 0.8mm とした。この製品を打ち抜く最小推力のトリミング機を、下記の語群の中から一つ選び、解答欄に記号で答えなさい。

パンチ段差表

	①	②	③	④	⑤	⑥	⑦
パンチ高さ	H	H－0.8	H－1.6	H－1.6	H－1.6	H－0.8	H

【語群】

記号	語句
ア	トリミング推力 50kN のトリミング機
イ	トリミング推力 70kN のトリミング機
ウ	トリミング推力 100kN のトリミング機

問題5

真空圧空成形機で、寸法が幅950mm×長さ1,010mmの金型で成形する場合について、次の各設問に答えなさい。ただし、圧空圧力は、金型寸法全体に掛かるものとする。

設問1　この金型で、圧空圧力 0.2MPa で成形する場合、必要な型締力(kN)を算出し、解答欄に記入しなさい。ただし、解答に小数点以下の端数がある場合は、小数第 2 位を四捨五入し、小数第1位までの値で答えること。

設問2　この金型で、圧空圧力0.5MPaで成形したところ、圧空エアが漏れた。その時の対応として最も適切なものを、下記の語群の中から一つ選び、解答欄に記号で答えなさい。ただし、設定型締力は400kNとし、金型にエア漏れなどの不備はないものとする。

【語群】

記号	語句
ア	圧空タイミングが遅いため圧空が漏れたので、圧空タイミングを早くした。
イ	型締力は十分であったが、圧空が漏れたので、シャットハイトを狭くして圧空が漏れないように調整した。
ウ	型締力が低いため圧空が漏れたので、型締力を450kNに上げた。
エ	排気時間が長すぎて圧空が漏れたので、排気時間を短くした。
オ	圧空圧力が高いため圧空が漏れたので、圧空圧力を0.4MPa に下げた。

問題6

下表は、ある製品を生産した結果である。この表について、次の各設問に答えなさい。

項目	内容
生産日数	15日間
一日の負荷時間	7時間
停止ロス	負荷時間の10%
速度ロス	ないものとする
良品生産数量	2,058,000個
金型の製品取り数	30個／shot
成形不良率	2.0%

設問1　良品2,058,000個を生産するために必要なshot数を算出し、解答欄に記入しなさい。

設問2　生産時のサイクルタイム(sec/shot)を求めなさい。ただし、解答に小数点以下の端数がある場合は、小数第2位を四捨五入し、小数第1位までの値で答えること。

問題 7

提示された表及び図は、新製品受注時における、製品形状、要求品質及び製品規格値等を示している。この表及び図を基に、次の各設問に答えなさい。

項目		規格値
顧客要求品質	商品賞味期限	常温：6 か月
	充填方式：満注充填 殺菌方式：ボイル殺菌	85℃　30 分
	フランジ厚み精度　高透明性	
製品形状	下記製品図	
使用材料	材質	(次頁の設問 1)
	厚み	1.10mm
製品規格	製品重量	7.8g　±0.3g
	容量　(重要)	200CC　+5,−0　CC
	一個内フランジ厚みレンジ（重要）	80μ　以内

【製品図】　　(単位 mm)

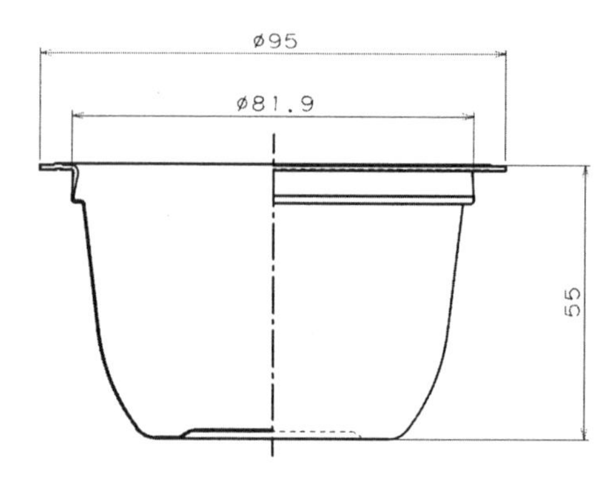

設問1　この製品に適した材料を、下記の語群の中から一つ選び、解答欄に記号で答えなさい。

【語群】

記号	語句	記号	語句
ア	OPS	イ	PET
ウ	PBP (PP/EVOH/PP)	エ	PPF

設問2　この製品の成形に最も適した成形機を、下記の語群の中から一つ選び、解答欄に記号で答えなさい。

【語群】

記号	語句	記号	語句
ア	真空成形機	イ	真空圧空成形機
ウ	熱板圧空成形機	エ	同時抜圧空成形機

設問3　この製品の要求製品規格を担保するため、金型仕様設計において取り込むべき機構、装置など、下記1～3に当てはまるものを、下記の語群の中からそれぞれ一つずつ選び、解答欄に記号で答えなさい。ただし、同一記号を重複して使用しないこと。

1　この成形法において用いるプラグ材質として、適切なものはどれか。

2　高透明性を確保するためにキャビティ表面に施す適切な加工はどれか。

3　フランジ精度を確保するための機構はどれか。

【語群】

記号	語句	記号	語句
ア	直冷式金型冷却機構	イ	ポリアミド(MC ナイロン)
ウ	ダウンホルダー	エ	ポリアセタール(デルリン等)
オ	プラグ温調装置	カ	キャビティのテフロン処理
キ	個別先行クランプ	ク	シンタクチックフォーム
ケ	ボトム突き出し装置	コ	キャビティの鏡面仕上げ

問題 8

下記の表は、ある製品を生産した結果である。この表を基に、次の各設問に答えなさい。ただし、成形時のシート引込みはないものとする。

項目	結果
材料(PP)総投入質量	25ton
良品のシート長さ	20,000m
シートの厚み	1.5mm
シートの幅	720mm
金型の製品取り数	12個／shot 6(幅)×2(送り)
材料送り長さ	240mm
成形不良率	2％
成形品(製品)の直径	φ100mm
材料(PP)の比重	0.9

設問 1　シーティング時の歩留り率(%)を求めなさい。ただし、シート厚みのばらつきなどはないものとする。また、解答に小数点以下の端数がある場合は、小数第 2 位を四捨五入し、小数第 1 位までの数値で答えなさい。

設問 2　製品(良品)の総質量(kg)を求めなさい。ただし、円周率は 3.14、シーティングと成形はインラインで連続して生産するものとする。また、解答に小数点以下の端数がある場合は、小数第 2 位を四捨五入し、小数第 1 位までの数値で答えなさい。

設問 3　シーティングから成形までの合計歩留り率(%)を求めなさい。ただし、解答に小数点以下の端数がある場合は、小数第 2 位を四捨五入し、小数第 1 位までの数値で答えなさい。

プラスチック成形

学科試験問題

令和５年度技能検定

２級 プラスチック成形 学科試験問題

(射出成形作業)

1. 試験時間　1時間40分
2. 問題数　50題(A群25題、B群25題)
3. 注意事項

(1)　係員の指示があるまで、この表紙はあけないでください。

(2)　答案用紙(真偽法と多肢択一法の併用)に検定職種名、作業名、級別、受検番号、氏名を必ず記入してください。

(3)　係員の指示に従って、問題数を確かめてください。それらに異常がある場合は、黙って手を挙げてください。問題はA群(真偽法)とB群(多肢択一法)とに分かれています。

(4)　試験開始の合図で始めてください。

(5)　解答の方法(真偽法と多肢択一法の併用)は次のとおりです。

イ．　A群の問題(真偽法)は、一つ一つの問題の内容が正しいか、誤っているかを判断して解答してください。

ロ．　B群の問題(多肢択一法)は、正解と思うものを一つだけ選んで、解答してください。二つ以上に解答した場合は誤答となります。

ハ．　答案用紙(マークシート用紙)へ解答する際は、答案用紙に記載されている注意事項に従ってください。

ニ．　答案用紙の解答欄は、A群の問題とB群の問題とでは異なります。所定の解答欄に、試験問題の題数に応じて解答してください。解答欄はA群は50題まで、B群は25題まで解答できるようになっています。

(6)　電子式卓上計算機その他これと同等の機能を有するものは、使用してはいけません。

(7)　携帯電話、スマートフォン、ウェアラブル端末等は、使用してはいけません。

(8)　試験中、質問があるときは、黙って手を挙げてください。ただし、試験問題の内容、漢字の読み方等に関する質問にはお答えできません。

(9)　試験終了時刻前に解答ができあがった場合は、黙って手を挙げて、係員の指示に従ってください。

(10)　試験中に手洗いに立ちたいときは、黙って手を挙げて、係員の指示に従ってください。

(11)　試験終了の合図があったら、筆記用具を置き、係員の指示に従ってください。

［A群（真偽法）］

1　一般的な押出成形は、一定量のプラスチック成形材料をピストン(反復)運動で押し出す成形法である。

2　熱可塑性樹脂成形品は、いったん硬化した後は、加熱しても溶融変形はしない。

3　300 Wの電熱器と600 Wの電熱器では、供給する電圧値が同じであれば、電熱器に流れる電流値は同じである。

4　抜取検査とは、検査ロットのすべての製品について行う検査をいう。

5　労働安全衛生法関係法令によれば、1年を超える期間使用しないフォークリフトは、当該使用しない期間において、1年を超えない期間ごとに行う定期自主検査は行わなくてもよい。

6　熱硬化性樹脂の射出成形では、加熱シリンダ内にある樹脂の滞留時間を短くする必要がある。

7　AS樹脂は、予備乾燥条件により、加水分解を起こし衝撃強さが低下することがある。

8　熱可塑性樹脂成形材料の色替えで、材料ロスを少なくするには、一般に、パージの計量を少なめにし、射出速度を速くして何回も繰り返す工程を入れるのがよい。

9　熱可塑性プラスチックをドリル加工した場合、一般に、ドリル径に比べて小さい穴があくことに注意が必要である。

10　一般に、デジタル式ノギスは、マイクロメータよりも精度の高い測定を必要とする製品の寸法測定に適している。

11　マスターバッチ法とは、粉末状の着色剤をペレットにあらかじめ混合して使用する着色方法のことである。

12　アニーリングの効果として、成形品の寸法が安定するといわれるが、これは寸法不良が改善されるということである。

［Ａ群（真偽法）］

13 下図の成形品の重さは、40gである。ただし、比重は、1.1、板厚は、2mmとする。

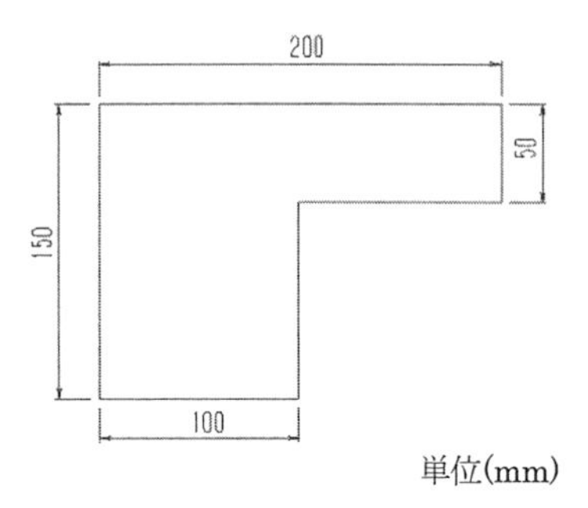

14 射出成形機のノズルタッチ力は、型締力に比例する。

15 油圧モータは、供給流量を変えれば、回転速度を変えることができる。

16 周波数50Hzの電源で毎分1000回転する三相誘導電動機を、周波数60Hzの電源に接続した場合、毎分1500回転となる。ただし、スリップは考えないものとする。

17 ベント式射出成形機においては、材料替えが極めて容易に行える。

18 型板のような平行度が要求される厚板の精密加工には、平面研削盤が適している。

19 射出成形に使用される金型部品のうち、下記のものは、いずれも日本産業規格(JIS)で規格が定められている。
(1) エジェクタピン
(2) サポートピラ
(3) 平板部品

20 金型のスライドコア部は、かじりが発生しやすいため、摺(しゅう)動部には、潤滑剤を適度に塗布しておいた方がよい。

21 インサート金具は、成形前によく洗浄し、完全に乾燥してから成形する必要がある。

22 ポリスチレン同士の接着には、ドープセメントが使用できる。

23 成形材料の曲げ弾性率は、材料の曲がりにくさを表し、この値が小さいほど曲がりやすい。

［A群（真偽法）］

24　日本産業規格(JIS)によれば、直径を表す寸法補助記号「φ」の呼び方は、「まる」又は「ふぁい」である。

25　射出成形機は、振動規制法関係法令の特定施設に指定されていない。

［B群（多肢択一法）］

1 成形条件とその品質に関する事項との組合せとして、適切でないものはどれか。

	[成形条件]	[品質に関する事項]
イ	材料温度	ショートショット
ロ	保圧時間	ひけ
ハ	冷却時間	ウェルドマーク
ニ	V－P切換え	オーバーパック

2 成形品の残留応力に関する記述として、正しいものはどれか。
イ 金型温度を高めにすると小さくなる。
ロ 射出圧力を高めにすると小さくなる。
ハ シリンダ温度を低めにすると小さくなる。
ニ 冷却時間を短めにすると小さくなる。

3 次のうち、材料替えが最も困難な材料の組合せはどれか。

イ	白色ABS樹脂	→	黒色ABS樹脂
ロ	透明PMMA	→	白色PC
ハ	黒色PA	→	透明PC
ニ	白色PP	→	黒色PP

4 銀条に対する一般的な対策として、誤っているものはどれか。
イ ランナとゲートを大きくする。
ロ 射出速度を上げる。
ハ スクリューの回転数を下げる。
ニ スクリュー背圧を上げる。

5 そり対策として、誤っているものはどれか。
イ 冷却を短くし、早く型から取り出す。
ロ ゲートを大き目に、ゆっくり射出をする。
ハ できるだけ、冷却を長くする。
ニ 金型温度を均一にする。

6 めっきをするプラスチック素材として、次のうち最も適しているものはどれか。
イ ABS樹脂
ロ ポリスチレン
ハ ポリプロピレン
ニ ポリカーボネート

［Ｂ群（多肢択一法）］

7　測定器の取扱いに関する記述として、適切でないものはどれか。
　イ　ノギスの止めねじは、測定時は緩めておく。
　ロ　マイクロメータの測定では、使用前に必ず零(0)点を合わせる。
　ハ　ダイヤルゲージは、使用目的に合った測定子を選ぶ。
　ニ　成形品の選別検査には、基準ゲージを使用する。

8　1個20gのPS材成形品を5000個得るために必要な材料量として、次のうち最も適切なものはどれか。ただし、歩留り率は、90%とする。
　イ　100kg
　ロ　105kg
　ハ　110kg
　ニ　115kg

9　電動式射出成形機に使用されているボールねじに関する記述として、正しいものはどれか。
　イ　ボールねじの潤滑剤は、一般にマシン油を使用する。
　ロ　ボールねじでは、防塵(じん)装置は必要ない。
　ハ　ボールねじは、サーボモータの回転を直進運動に変換する働きをする。
　ニ　ボールねじを予備品と交換する場合には、ねじ軸とナットを別々に交換する。

10　加熱シリンダ及びスクリューの各部に関する記述として、誤っているものはどれか。
　イ　材料落下部は、材料の食い込み不良防止のため、冷却水で温度調整する。
　ロ　供給部は、射出量を正確に制御する逆流防止弁を持つ。
　ハ　圧縮部は、せん断発熱と外部加熱による樹脂の溶融と脱気を行う。
　ニ　計量部は、溶融樹脂の混練と均一化を行う。

11　射出成形機に関する記述として、誤っているものはどれか。
　イ　油圧式射出成形機は、電動式射出成形機よりも冷却水を多く必要とする。
　ロ　トグル式型締装置の潤滑油は、油圧作動油よりも高粘度である。
　ハ　油圧系統内に設置されるアキュムレータには、空気が封入されている。
　ニ　高圧油圧系統に設置されているラインフィルタの交換は、汚れの具合により都度、又は定期的に行う。

12　20Ωのヒータを100V電源で2時間使用した場合、電力量(Wh)はいくつか。
　イ　500 Wh
　ロ　1000 Wh
　ハ　2000 Wh
　ニ　2500 Wh

［B群（多肢択一法）］

13 電動式射出成形機において、型締機構(トグル式)の型締め及び型開き位置を検出しているものはどれか。

イ 電流計
ロ 電圧計
ハ エンコーダ
ニ ロードセル

14 ABS樹脂などの汎用プラスチックに使用する乾燥機の種類として、次のうち、最も一般的なものはどれか。

イ 熱風循環式
ロ 赤外線式
ハ 真空式
ニ 除湿式

15 射出成形機の関係機器において、次のうち、熱源が不要なものはどれか。

イ ホッパローダ
ロ ホッパドライヤ
ハ 金型温調機
ニ 箱型乾燥機

16 射出成形用金型の標準的な構成要素として、誤っているものはどれか。

イ キャビティ部
ロ 材料の流動機構
ハ 成形品の突出し機構
ニ 型開閉機構

17 次のうち、突出しピンを早戻しする理由はどれか。

イ インサート成形をするため。
ロ 成形品を固定側に残すため。
ハ サブマリンゲートを切断するため。
ニ ピンゲートを切断するため。

18 日本産業規格(JIS)のモールド用及びプラスチック用金型に関する記述として、誤っているものはどれか。

イ モールド用平板部品の材料及び硬さは、規定されていない。
ロ モールド用エジェクタピンには、プラスチック用、ダイカスト用などがある。
ハ プラスチック用金型のロケートリングは、A形及びB形の2種類に区分されている。
ニ モールド用ガイドピンの硬さは、55HRC以上と規定されている。

［B群（多肢択一法）］

19 金型の取扱いについて、誤っているものはどれか。
イ 成形を終了した金型は、冷却穴の水抜きをした後、エアーで清掃する。
ロ 金型をワイヤロープでつり上げる場合、パーティング面が開かないことを確認する。
ハ 金型を保管するには、乾燥した冷暗所がよい。
ニ 成形機に取り付けた金型を点検するときは、モータ電源を切る必要はない。

20 結晶性プラスチックを非晶性プラスチックと比較した場合、一般的な特徴として、正しいものはどれか。
イ 透明である。
ロ 溶剤に接してもクラックが発生しにくい。
ハ 溶剤接着に多く用いられる。
ニ 成形収縮率は小さい。

21 次のうち、一般グレードの樹脂が非晶性で不透明なものはどれか。
イ 変性PPE
ロ PA
ハ PBT
ニ POM

22 次の成形材料のうち、水に浮くものはどれか。
イ ポリアセタール
ロ ポリプロピレン
ハ ポリカーボネート
ニ ポリ塩化ビニル

23 日本産業規格(JIS)におけるプラスチック材料の略語及びその材料名の組合せとして、誤っているものはどれか。

	[略語]	[材料名]
イ	PBT	ポリブチレンテレフタレート
ロ	POM	ポリアセタール
ハ	PPE	ポリフェニレンスルフィド
ニ	PET	ポリエチレンテレフタレート

［B群（多肢択一法）］

24　日本産業規格(JIS)によれば、六角穴付きボルトの図示法として、適切なものはどれか。

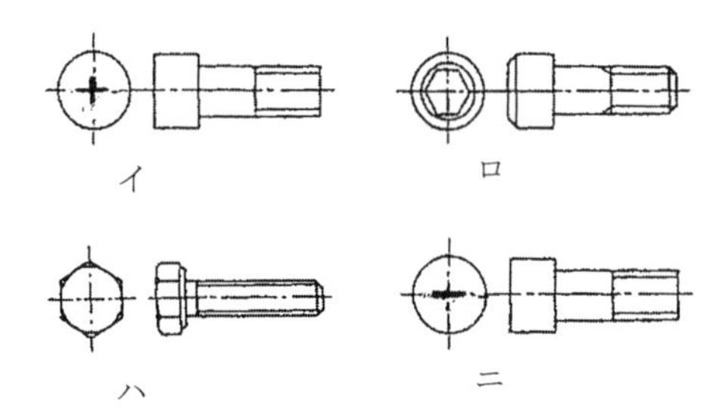

25　次の家電製品のうち、特定家庭用機器再商品化法(家電リサイクル法)の対象とされていないものはどれか。

イ　洗濯機
ロ　冷蔵庫
ハ　電子レンジ
ニ　エアコン

令和4年度技能検定

2級 プラスチック成形 学科試験問題

(射出成形作業)

1. 試験時間　1時間40分
2. 問題数　50題(A群25題、B群25題)
3. 注意事項

(1) 係員の指示があるまで、この表紙はあけないでください。

(2) 答案用紙(真偽法と多肢択一法の併用)に検定職種名、作業名、級別、受検番号、氏名を必ず記入してください。

(3) 係員の指示に従って、問題数を確かめてください。それらに異常がある場合は、黙って手を挙げてください。問題はA群(真偽法)とB群(多肢択一法)とに分かれています。

(4) 試験開始の合図で始めてください。

(5) 解答の方法(真偽法と多肢択一法の併用)は次のとおりです。

イ. A群の問題(真偽法)は、一つ一つの問題の内容が正しいか、誤っているかを判断して解答してください。

ロ. B群の問題(多肢択一法)は、正解と思うものを一つだけ選んで、解答してください。二つ以上に解答した場合は誤答となります。

ハ. 答案用紙(マークシート用紙)へ解答する際は、答案用紙に記載されている注意事項に従ってください。

ニ. 答案用紙の解答欄は、A群の問題とB群の問題とでは異なります。所定の解答欄に、試験問題の題数に応じて解答してください。解答欄はA群は50題まで、B群は25題まで解答できるようになっています。

(6) 電子式卓上計算機その他これと同等の機能を有するものは、使用してはいけません。

(7) 携帯電話、スマートフォン、ウェアラブル端末等は、使用してはいけません。

(8) 試験中、質問があるときは、黙って手を挙げてください。ただし、試験問題の内容、漢字の読み方等に関する質問にはお答えできません。

(9) 試験終了時刻前に解答ができあがった場合は、黙って手を挙げて、係員の指示に従ってください。

(10) 試験中に手洗いに立ちたいときは、黙って手を挙げて、係員の指示に従ってください。

(11) 試験終了の合図があったら、筆記用具を置き、係員の指示に従ってください。

［A群（真偽法）］

1　一般に、押出成形法では、熱硬化性樹脂を成形することはできない。

2　ポリアミドの成形品は、吸水すると衝撃強度が増す。

3　オームの法則によると、電圧が一定ならば、電流は電気抵抗の大きいものほど多く流れる。

4　抜取り検査とは、製品(検査ロット)の中の一部を抜き取って検査し、ロットの合格、不合格を判定する検査方法である。

5　職場の5Sとは、整理、整頓、清掃、清潔、しつけ(習慣化)のことをいう。

6　インサート成形では、横型射出成形機よりも縦型射出成形機の方がインサートの保持が容易で安定している。

7　PC材は、予備乾燥条件により、加水分解が生じて衝撃強さが損なわれることがある。

8　ポリプロピレン樹脂からABS樹脂への材料替えでは、途中でパージ材を使用するのが一般的である。

9　ホットメルト接着剤とは、反応によって硬化する接着剤で、熱硬化型、複合型、及び重合型がある。

10　本尺目盛の目幅が1mmで、その19目盛を20等分したバーニヤ(副尺)の付いたノギスの最小読取値は、0.05mmである。

11　カラードペレット法とは、粉末着色剤をペレットに混合して、それを直接ホッパに投入して使用する着色法をいう。

12　アニーリングの効果には、成形品の残留応力の緩和などがある。

13　10kgの成形材料を使い、1個20gの成形品を500個成形して、良品450個を得た。このときの成形不良率は5%である。

14　射出成形機の射出率とは、1回に射出できる材料の最大質量のことである。

15　油圧モータのトルクは、作動油の圧力を上げることにより高くすることができる。

［A群（真偽法）］

16 下図に示すヒータの結線はスター結線(Y 結線)である。

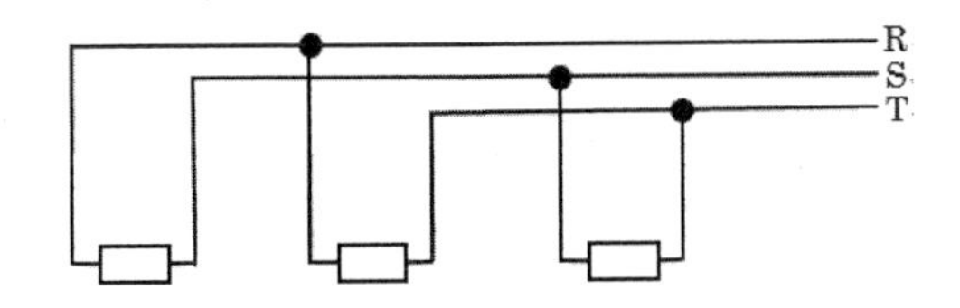

17 射出速度のプログラム制御は、主として、成形品の外観の改善を図るのに効果的である。

18 サブマリン（トンネル）ゲートは、キャビティ側、コア側に設けるタイプが有り、自動的にゲート切断が可能である。

19 日本産業規格(JIS)では、リターンピンの呼び寸法を1～10mmと規定している。

20 成形機に取り付けた金型を点検するときは、その都度、モータ電源を切らなければならない。

21 インサート金具としては、線膨張係数の小さい材質の方がクラック発生防止に効果がある。

22 MEK(メチルエチルケトン)は、ABS樹脂製品間の溶剤接着には使用できない。

23 荷重たわみ温度とは、試験片を一定荷重下において、一定速度で温度を上昇させたときに所定の変形量を示す温度をいう。

24 日本産業規格(JIS)によれば、製図に用いる一点鎖線及び二点鎖線の描き方は、極短線の要素で始まり、また終わるように描く。

25 家庭用品品質表示法関係法令によれば、合成樹脂加工品のバケツ、洗面器及び皿は、品質表示を行うことが義務付けられている。

［B群（多肢択一法)］

1　成形条件と品質に関する組合せとして、適切でないものはどれか。

	[成形条件]	[品質]
イ	型締力	ばり
ロ	保圧時間	ひけ
ハ	シリンダー温度	ショートショット
ニ	スクリュー回転数	ジェッティング

2　ABS樹脂の成形品のシルバーストリーク（銀条）の発生原因とその対策として、誤っているものはどれか。

	[発生原因]	[対策]
イ	シリンダ内で熱分解する。	樹脂温度を下げて、滞留時間を短くする。
ロ	供給部からエアを巻き込む(熱酸化分解)。	スクリュー回転数を下げて、背圧を上げる。
ハ	計量時にノズルからエアを吸う。	背圧を下げて、サックバック量を増やす。
ニ	吸水率(含水率)が限界吸水率より高い。	乾燥温度80℃で3時間乾燥する。

3　材料替えに関する記述として、正しいものはどれか。
　イ　パージ材の樹脂温度は、それまでの成形温度よりも低くする。
　ロ　パージ材は、できるだけバージン材を使用する。
　ハ　パージ材は、温度許容差の大きなPEやPPのような粘度変化の少ない材料で行うとよい。
　ニ　パージ材は、必ず次に成形する材料で行う。

4　ウェルドマークの防止対策として、正しいものはどれか。
　イ　ランナーやゲートをできるだけ小さくする。
　ロ　金型温度を低くする。
　ハ　流れの悪い材料を使用する。
　ニ　ウェルドマーク付近にエアベントを設ける。

5　スクリューやシリンダの摩耗が原因で生じる不良現象として、正しいものはどれか。
　イ　ひけ
　ロ　白化
　ハ　クラッキング
　ニ　ばり

［B群（多肢択一法）］

6　成形品の仕上げと二次加工に関する記述として、誤っているものはどれか。

　イ　PCの成形品を塗装する場合、クレージング対策としてアニーリングをするとよい。

　ロ　PEの成形品を接着する場合、接着面を火炎処理するとよい。

　ハ　ABS樹脂の成形品をつや出し仕上げする場合、腰の強いバフを使用するとよい。

　ニ　PMMAの成形品を印刷する場合、除電エアで清掃するとよい。

7　軟質ポリエチレン製のリングの外径を測定する機器として、適切でないものはどれか。

　イ　ノギス

　ロ　測定顕微鏡

　ハ　測定投影機

　ニ　レーザ寸法測定器

8　下図に示す形状の成形品質量として、近いものはどれか。
ただし、比重は1.1とし、解答は、小数第2位を四捨五入し、小数第1位までとする。
なお、π=3.14 とする。

　イ　3.6g

　ロ　3.9g

　ハ　4.5g

　ニ　5.1g

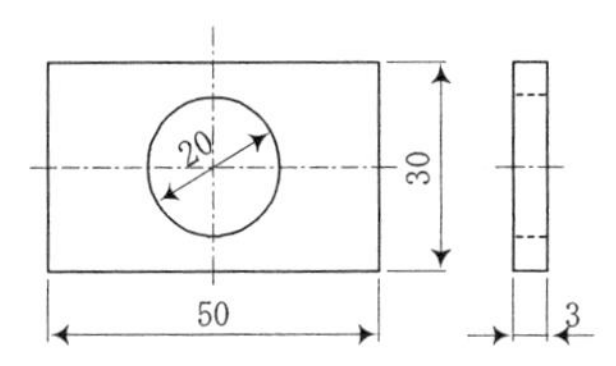

（単位　mm）

9　文中の下線部のうち、適切でないものはどれか。

　インラインスクリュータイプの特徴は、1本のスクリューで、計量（イ）、可塑化（ロ）、乾燥（ハ）、混練（ニ）、射出の仕事を行えることである。

10　射出成形機の仕様に関する記述として、誤っているものはどれか。

　イ　型締力は、金型を締め付ける力の大きさをいい、その単位は(kN)で表す。

　ロ　可塑化能力とは、10分間に最大どの位の材料を可塑化することができるかをいい、その単位は(kg／10min)で表す。

　ハ　射出圧力とは、スクリュー先端部に発生する最大圧力のことをいい、その単位は(MPa)で表す。

　ニ　タイバー間隔とは、2本のタイバーの内側間隔を表す。

［B群（多肢択一法）］

11 文中の(　　)内に当てはまる語句として、適切なものはどれか。

　油圧回路に使用する圧力制御弁には、リリーフ弁、レデューシング弁、アンロード弁、(　　)などがある。

イ　アキュムレータ

ロ　シーケンス弁

ハ　フローコントロール弁

ニ　ソレノイド弁

12 抵抗25Ωに4Aの電流を2時間流した時に消費される電力量として、正しいものはどれか。

イ　200Wh

ロ　400Wh

ハ　800Wh

ニ　1000Wh

13 文中の(　　)内に当てはまる語句として、適切なものはどれか。

　射出成形機において、シリンダー温度の管理は、主に(　　)制御方式が用いられ、高い精度と安定性が確保されている。

イ　プログラム

ロ　シーケンス

ハ　オープンループ

ニ　PID

14 周辺機器に関する記述として、誤っているものはどれか。

イ　ホッパローダの方式は、吸引式及び圧送式が多い。

ロ　ホッパドライヤーは、変色しない樹脂には熱風式か除湿式を用いる。

ハ　取出装置は、首振り式及び縦走行式の2方式だけである。

ニ　金型温調機には、大別すると、直接式及び間接式がある。

15 文中の（　　）内に当てはまる語句として、適切なものはどれか。

　スプルーとランナを適度な粒子にし、ブレンドローダーに供給するポジションで、リサイクル用に開発したものが（　　）である。

イ　ホッパードライヤー

ロ　ホッパーローダー

ハ　混合機

ニ　粉砕機

16 製品突出し機構の方式ではないものどれか。

イ　ピン突出し方式

ロ　ネジ抜き方式

ハ　スライドコア方式

ニ　プレート突出し方式

［B群（多肢択一法）］

17 金型に関する記述として、正しいものはどれか。
　イ　ゲート位置は、製品の薄肉部に付けるのがよい。
　ロ　ランナーストリッパプレートは、2プレート型に使われる。
　ハ　ストリッパプレートとエジェクタピンは、併用できない。
　ニ　各部の温度を適正に調整できるように冷却回路を設ける。

18 日本産業規格(JIS)の「プラスチック用金型のロケートリング」に関する記述として、誤っているものはどれか。
　イ　国際標準化機構(ISO)規格を基に作成された規格である。
　ロ　プラスチック用射出金型に適用される。
　ハ　材料は、鋼でなければならない。
　ニ　種類に対応した基本寸法は規定しているが、許容差は規定していない。

19 成形品の離型が困難な場合の原因として、当てはまらないものはどれか。
　イ　金型の表面にへこみや傷がある。
　ロ　金型の表面の磨きが不充分である。
　ハ　金型の抜き勾配が充分である。
　ニ　収縮率の大きい材料に変更された。

20 成形材料に関する記述として、誤っているものはどれか。
　イ　ポリエチレンは、結晶性で成形収縮率が大きい。
　ロ　ポリカーボネートは、低温における耐衝撃性に優れている。
　ハ　ポリプロピレンは、非晶性で印刷が容易である。
　ニ　メタクリル樹脂は、透明性に優れている。

21 成形収縮率を5/1000と想定してキャビティ・コアを加工した金型で成形をするのに適した材料はどれか。
　イ　ポリプロピレン
　ロ　ポリスチレン
　ハ　ポリアセタール
　ニ　ポリエチレン

22 ポリプロピレンの一般的な性質に関する記述として、誤っているものはどれか。
　イ　ヒンジ特性が悪い。
　ロ　耐薬品性が良い。
　ハ　耐寒性に乏しい。
　ニ　半透明である。

［B群（多肢択一法）］

23 日本産業規格(JIS)の材料名とその記号の組合せのうち、正しいものはどれか。

	［材料名］	［記号］
イ	ポリアミド	PPE
ロ	ポリ塩化ビニル	PVAC
ハ	ポリアセタール	POM
ニ	ポリエーテルスルホン	PEI

24 日本産業規格(JIS)の製図における寸法記入方法で規定する寸法補助記号に関する記述として、誤っているものはどれか。

イ Sφは、球の直径を表す。

ロ Cは、30°の面取りを表す。

ハ Rは、半径を表す。

ニ □は、正方形の辺を表す。

25 家庭用品品質表示法関係法令によれば、合成樹脂加工品における「食事用、食卓用又は台所用の器具」への表示事項として、誤っているものはどれか。

イ 原料樹脂の種類

ロ 表面加工の種類

ハ 耐熱温度

ニ 取扱い上の注意

令和3年度 技能検定
2級 プラスチック成形 学科試験問題
(射出成形作業)

1. 試験時間　1時間40分
2. 問題数　50題(A群25題、B群25題)
3. 注意事項

(1)　係員の指示があるまで、この表紙はあけないでください。

(2)　答案用紙(真偽法と多肢択一法の併用)に検定職種名、作業名、級別、受検番号、氏名を必ず記入してください。

(3)　係員の指示に従って、問題数を確かめてください。それらに異常がある場合は、黙って手を挙げてください。問題はA群(真偽法)とB群(多肢択一法)とに分かれています。

(4)　試験開始の合図で始めてください。

(5)　解答の方法(真偽法と多肢択一法の併用)は次のとおりです。

イ．A群の問題(真偽法)は、一つ一つの問題の内容が正しいか、誤っているかを判断して解答してください。

ロ．B群の問題(多肢択一法)は、正解と思うものを一つだけ選んで、解答してください。二つ以上に解答した場合は誤答となります。

ハ．答案用紙(マークシート用紙)へ解答する際は、答案用紙に記載されている注意事項に従ってください。

ニ．答案用紙の解答欄は、A群の問題とB群の問題とでは異なります。所定の解答欄に、試験問題の題数に応じて解答してください。解答欄はA群は50題まで、B群は25題まで解答できるようになっています。

(6)　電子式卓上計算機その他これと同等の機能を有するものは、使用してはいけません。

(7)　携帯電話、スマートフォン、ウェアラブル端末等は、使用してはいけません。

(8)　試験中、質問があるときは、黙って手を挙げてください。ただし、試験問題の内容、漢字の読み方等に関する質問にはお答えできません。

(9)　試験終了時刻前に解答ができあがった場合は、黙って手を挙げて、係員の指示に従ってください。

(10)　試験中に手洗いに立ちたいときは、黙って手を挙げて、係員の指示に従ってください。

(11)　試験終了の合図があったら、筆記用具を置き、係員の指示に従ってください。

［A群（真偽法）］

1 成形法、特徴及び成形品名の組合せは正しい。

［ 成形法 ］	［ 特　徴 ］	［ 成形品名 ］
押出成形	一定断面形状のものを連続生産できる	パイプ

2 熱可塑性樹脂は、一般に、熱硬化性樹脂よりも、耐熱性、耐溶剤性に優れている。

3 消費電力500Wの装置を200Vで使用した場合は、5Aの電流が装置に流れる。

4 抜取検査とは、製品の中からサンプルを抜き取って検査することをいう。

5 労働安全衛生法関係法令では、作業場の明るさ(照度)について、基準は定めていない。

6 電動式射出成形機では、型締も射出もサーボモータを使用する。

7 PBT は、予備乾燥を必要とする。

8 同一材料の射出成形において、色替えをするときは、加熱シリンダ温度を成形温度よりも高くする方がよい。

9 ポリエチレン成形品は、高周波による溶着に適している。

10 穴の中心間隔(ピッチ)を測定する器具をピッチゲージという。

11 白の着色剤には、酸化チタンが多く使用される。

12 アニーリングの主目的は、寸法不良の改善である。

13 成形品の体積が23cm^{3}で、成形材料の密度が1.1の場合、成形品の質量は25.3gである。

14 型締力750kN、射出力150kN、スクリュー断面積10cm^{2}の射出成形機は、成形品、スプルー、ランナー及びゲートの総投影面積が40cm^{2}の成形が可能である。
ただし、射出体積は、十分大きいものとする。

15 油圧の制御弁には、方向制御弁、圧力制御弁、流量制御弁等がある。

16 抵抗が20Ωのヒータに、単相交流で10Aの電流を流したときの電力は200Wである。

17 可塑化混練の均一化を図るためには、計量完了前において、段階的にスクリュー回転数を上げる。

［A群（真偽法）］

18 スプルーロックピンには、スプルーを固定側から離型させる役割がある。

19 スプルーブシュは、日本産業規格(JIS)で規格が定められている。

20 金型を保管する場合は、一般に、防錆剤よりもグリースを塗布するとよい。

21 プラスチック射出成形品のクラックの発生防止には、インサート金具を予備加熱する方がよい。

22 非晶性樹脂を接着する場合、溶剤タイプの接着剤は、ソルベントクラックを起こしやすい。

23 日本産業規格(JIS)によると、シャルピー衝撃試験法とは、規定寸法で隔たっている二つの試験片支持台で試験片を支え、ハンマーで衝撃力を与えて破断し、衝撃値を測定する試験をいう。

24 日本産業規格(JIS)の「機械製図」において、下図は第三角法を示す。

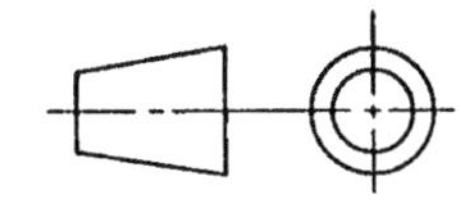

25 振動規制法関係法令では、合成樹脂用射出成形機は、特定施設として指定されていない。

［B群（多肢択一法）］

1　文中の下線部のうち、誤っているものはどれか。

射出成形における樹脂の流動配向は、樹脂温度、金型温度、射出圧力、型開速
　　　　　　　　　　　　　　　　　　イ　　　　ロ　　　　ハ　　　　ニ
度などに大きく左右されて、成形品の物性に強い影響を与える。

2　計量に関する記述として、適切でないものはどれか。

イ　スクリューの計量は、理論射出体積の20～80%で使用するのがよい。

ロ　小型成形機(型締980kN(100tf)以下)では、クッション量を3～7mmぐらい取ればよい。

ハ　スクリュー背圧をかけてもかけなくても、計量密度に変わりはない。

ニ　目安として、鼻たれ、糸引きに注意してスクリュー背圧をかける。

3　高密度ポリエチレン成形材料の色替えとして、材料のロスが少ないのはどれか。

イ　加熱筒温度を成形温度よりも高くして行う。

ロ　背圧を高くしてスクリュー回転を速くする。

ハ　計量は少なめ、射出速度は速めで回数を多くする。

ニ　計量は多め、射出圧力は高めで行う。

4　成形品が離型しにくくなる原因として、誤っているものはどれか。

イ　射出圧力が高く、射出時間が長い。

ロ　保圧が低く、保圧時間が短い。

ハ　金型の抜き勾配が少ない。

ニ　金型のキャビティ、コアの磨きが悪い。

5　成形品の表面に光沢不良が生じる原因として、誤っているものはどれか。

イ　金型面の磨き不足

ロ　金型温度が高い

ハ　金型面の離型剤の付着

ニ　成形材料の流動性の不足

6　主に、曲面に使用される印刷加工はどれか。

イ　スクリーン印刷

ロ　パッド印刷

ハ　オフセット印刷

ニ　ホットスタンピング

7　マイクロメータの使用に関する記述として、誤っているものはどれか。

イ　測定は、シンブルを回さずにラチェットストップを使用する。

ロ　アンビルの測定面は、サンドペーパーで磨いてはいけない。

ハ　ラチェットストップは、測定速度を一定にする装置である。

ニ　できるだけマイクロメータスタンドを使用する。

［B群（多肢択一法）］

8 1個10gのポリエチレン成形品を20000個得るための仕込み量(準備する量)として、正しいものはどれか。ただし、材料歩留り率は90%とし、仕込み量単位は5kgとする。

イ 210kg
ロ 215kg
ハ 220kg
ニ 225kg

9 成形機の型締め機構に関する記述として、誤っているものはどれか。

イ 直圧式成形機の型開力は、型締力よりも小さい。
ロ 補助シリンダ式型締装置は、トグル式型締装置の一種である。
ハ ブースターラム式型締装置は、型締速度を高速にする装置である。
ニ シングルトグル式型締装置は、小型の成形機に多く使われている。

10 射出成形機の状態、操作に関する記述として、正しいものはどれか。

イ ダイプレート平行度が悪くても金型の平行度が保たれていれば、成形品の品質は保てる。
ロ 高圧型締状態を長時間保っても機械に影響は無い。
ハ バンドヒーターを交換しても、PID 制御のチューニングは必要ない。
ニ 未計量状態で運転を手動から半自動に切り替えるとスタートしない。

11 射出成形機の油圧機構に関する記述として、誤っているものはどれか。

イ 型締めシリンダとピストンのシールにOリングを用いる場合は、バックアップリングを併用する。
ロ 油圧アキュムレータの中には、酸素が封入されている。
ハ ギヤポンプは、ハウジングに密接した駆動歯車と従動歯車で構成されている。
ニ 可変吐出量ポンプは、消費電力を削減するために用いられる。

12 電動式射出成形機に用いられていないものはどれか。

イ 回生抵抗
ロ ドアバルブ
ハ ロードセル
ニ SSR

13 文中の(　　)内に入る語句として、適切なものはどれか。

射出速度や射出圧力など、制御する対象となる要素の数値を、あらかじめ設定した順序に従って、次々と変化させている制御方式を(　　)という。

イ シーケンス制御
ロ 定値制御
ハ プログラム制御
ニ 追従制御

［B群（多肢択一法）］

14　成形材料の混練に使用される装置ではないものはどれか。
　イ　ニーダー
　ロ　ミキサー
　ハ　ブレンダー
　ニ　ホッパーマグネット

15　成形付属設備のうち、材料の乾燥に直接関係がないものはどれか。
　イ　ホッパドライヤー
　ロ　箱形乾燥機
　ハ　ホッパローダ
　ニ　真空乾燥機

16　射出成形の型開閉や離型時に自動的に切断される流動機構として、誤っているものはどれか。
　イ　ピンポイントゲート
　ロ　ファンゲート
　ハ　サブマリンゲート
　ニ　ホットランナー

17　ランナーレス金型の特徴に関する記述として、正しいものはどれか。
　イ　成形材料のロスが多い。
　ロ　マニホールド内で、溶融材料が滞留する時間が短い。
　ハ　成形サイクルタイムが長い。
　ニ　金型代が高い。

18　次のうち、日本産業規格(JIS)に規定されていないものはどれか。
　イ　モールド用リターンピン
　ロ　モールド用エジェクタピン
　ハ　モールド用ガイドピン
　ニ　モールド用ランナーロックピン

19　金型の取扱いに関する記述として、誤っているものはどれか。
　イ　キャビティのしぼ加工面に付着した樹脂かすやさびなどは、ペーパー磨きなどの処理をすることは適切でない。
　ロ　金型を保管する場合、キャビティとコアは閉じておく。
　ハ　金型を保管する場合、冷却水孔の水分をエアパージした後、乾燥した冷暗所に保管する。
　ニ　レンズなど透明な成形品のキャビティに付着しているゴミは、ウエスやティッシュなどでふき取る。

［B群（多肢択一法)］

20 次のプラスチックのうち、結晶性のものはどれか。
　イ　ポリアミド
　ロ　ポリスチレン
　ハ　ポリカーボネート
　ニ　ABS樹脂

21 文中の(　　)内に入る語句として、適切なものはどれか。
　プラスチックは、燃焼するときの状態からその種類を判別できるが、黒煙を多く出して燃えるのは、(　　)である。
　イ　ポリプロピレン
　ロ　ポリエチレン
　ハ　メタクリル樹脂
　ニ　ABS樹脂

22 成形材料に関する一般グレードの特徴として、誤っているものはどれか。
　イ　ポリカーボネートは、衝撃強さに優れている。
　ロ　ポリアミドの成形品は、吸湿によって機械的強さが変化する。
　ハ　ABS樹脂は、ブタジエンを含むため耐候性が良くない。
　ニ　ポリプロピレンは、印刷が容易である。

23 日本産業規格(JIS)によれば、成形材料の流動性を調べる試験項目として規定されているものはどれか。
　イ　MFR
　ロ　クリープ特性
　ハ　アイゾット衝撃値
　ニ　引張強さ

24 図面に示す寸法数値の意味を明示するために寸法補助記号が用いられるが、記号の意味及び記号の組合せのうち、誤っているものはどれか。

	[意味]	[記号]
イ	正方形の辺	□
ロ	球半径	R
ハ	円弧の長さ	⌒
ニ	厚さ	t

25 食品衛生法関係法令の規定に基づき、食品添加物等の規格、基準が定められているが、プラスチック製器具、包装容器に関して定められていないものはどれか。
　イ　器具若しくは容器包装又はこれらの原材料一般の規格
　ロ　器具及び容器包装品の使用基準
　ハ　器具又は容器包装一般の試験法
　ニ　器具及び容器包装の製造基準

令和５年度技能検定

１級 プラスチック成形 学科試験問題

（射出成形作業）

1. 試験時間　1時間40分
2. 問題数　50題(A群25題、B群25題)
3. 注意事項

(1) 係員の指示があるまで、この表紙はあけないでください。

(2) 答案用紙(真偽法と多肢択一法の併用)に検定職種名、作業名、級別、受検番号、氏名を必ず記入してください。

(3) 係員の指示に従って、問題数を確かめてください。それらに異常がある場合は、黙って手を挙げてください。問題はA群(真偽法)とB群(多肢択一法)とに分かれています。

(4) 試験開始の合図で始めてください。

(5) 解答の方法(真偽法と多肢択一法の併用)は次のとおりです。

イ. A群の問題(真偽法)は、一つ一つの問題の内容が正しいか、誤っているかを判断して解答してください。

ロ. B群の問題(多肢択一法)は、正解と思うものを一つだけ選んで、解答してください。二つ以上に解答した場合は誤答となります。

ハ. 答案用紙(マークシート用紙)へ解答する際は、答案用紙に記載されている注意事項に従ってください。

ニ. 答案用紙の解答欄は、A群の問題とB群の問題とでは異なります。所定の解答欄に、試験問題の題数に応じて解答してください。解答欄はA群は50題まで、B群は25題まで解答できるようになっています。

(6) 電子式卓上計算機その他これと同等の機能を有するものは、使用してはいけません。

(7) 携帯電話、スマートフォン、ウェアラブル端末等は、使用してはいけません。

(8) 試験中、質問があるときは、黙って手を挙げてください。ただし、試験問題の内容、漢字の読み方等に関する質問にはお答えできません。

(9) 試験終了時刻前に解答ができあがった場合は、黙って手を挙げて、係員の指示に従ってください。

(10) 試験中に手洗いに立ちたいときは、黙って手を挙げて、係員の指示に従ってください。

(11) 試験終了の合図があったら、筆記用具を置き、係員の指示に従ってください。

［A群（真偽法)］

1 次の成形法と用語の組合せは、いずれも正しい。

	[成形法]	[用語]
(1)	カレンダー成形	金型
(2)	ブロー成形	パリソン
(3)	真空成形	厚さ分布
(4)	インフレーション成形	サーキュラーダイ

2 PEは、一般に、低温時における衝撃強さが、PPよりも劣る。

3 Rオームの抵抗にIアンペアの直流電流を流した場合、電力Wは下記の式で表される。

$W = R \times I^2$

4 *np* 管理図は、検査個数が一定でない場合、不良率で管理するときに用いられる。

5 粉末消火器には、普通火災用、油火災用及び電気火災用があり、それぞれ黄色、白色、青色の下地色で表示される。

6 射出圧縮成形法やガスアシスト射出成形法における充填圧力は、一般の射出成形法よりも高くしなければならない。

7 射出成形において、MFRの大きいポリマーを用いる場合は、小さいものを用いる場合よりも、射出圧力を高くしなければならない。

8 一定以上吸湿したPBTは、加熱溶融すると、加水分解が生じる。

9 ガラス繊維強化プラスチックの光沢不良の対策としては、一般に、シリンダ温度、金型温度、射出速度等を上げるのが有効である。

10 バフは、荒仕上げ、中仕上げ、鏡面仕上げなどにより平滑で光沢のある面をつくる仕上げに用いられる。

11 マイクロメータのラチェットストップは、測定圧を一定にする働きを持っている。

12 顔料と成形材料(ペレット)を混合機(タンブラー)で混合する時、湿潤剤を加えるとペレットに顔料が均一に分散され飛散しにくくなる。

13 非晶性樹脂のアニーリングとは、一般に、ストレスクラックなどの防止を目的とした残留応力を緩和する処理である。

［A群（真偽法）］

14　1個20gの成形品を4500個得るのに不良品が500個発生した。また、これに要した成形材料は100kgであった。この場合の不良率は10%、歩留り率は95%である。

15　プリプラ式の射出成形機は、射出用と溶融用のシリンダを別々に備えている。

16　油圧駆動と電動駆動を組み合わせた射出成形機は、ハイブリッド式射出成形機と呼ばれる。

17　電動式射出成形機には、DCサーボモータが使用されている。

18　次の機器とその機能の組合せは、いずれも正しい。

	[機器]	[機能]
(1)	ベント式射出装置	可塑化中に発生するガスの除去
(2)	監視カメラ	金型の安全確認

19　プラスチック用金型のテーパピン(インターロックピン)は、固定側型板と可動側型板の間の正確な位置決めをするために用いられる。

20　エア突出し装置は、コップやバケツのような深物成形品の突出しに多く用いられる。

21　引張弾性率は、引張荷重を加えたときの変形のしにくさを表し、この値が大きいほど伸びが大きくなる。

22　アルミニウム、黄銅(真鍮(しんちゅう))は、インサート金具に適した材料である。

23　結晶性プラスチック同士の接着には、溶剤接着法が適している。

24　日本産業規格(JIS)によれば、次の(1)～(3)は、いずれも熱的性質の測定方法として規定されている。

(1)　荷重たわみ温度
(2)　ビカット軟化温度
(3)　ぜい化温度

25　資源の有効な利用の促進に関する法律において、主務大臣は、省令により指定表示製品ごとに表示の標準を示し、当該製品の製造等の事業を行う者に対して、表示事項と遵守事項を定めている。

［Ｂ群（多肢択一法）］

1 文中の(　　)内に当てはまる数値として、最も適切なものはどれか。

　総投影面積(スプルー、ランナーを含む)100cm²のPC成形品を、射出圧力150MPaで射出成形する場合は、(　　)kN以上の型締力が必要である。ただし、流動抵抗による圧力損失は60%とする。

イ　250
ロ　350
ハ　500
ニ　600

2 射出成形条件と成形品の品質に関する記述として、適切なものはどれか。

イ　突出し速度を遅くすると、白化する。
ロ　保圧を高くすると、すりきずが発生しやすくなる。
ハ　金型温度を高くすると、シルバーストリークが発生する。
ニ　射出速度を遅くすると、光沢が良くなる。

3 成形品の外観不良と材料の予備乾燥に関する記述として、適切なものはどれか。

イ　透明成形品の小さな気泡は、材料の予備乾燥不足のためである。
ロ　成形品のやけは、材料の予備乾燥温度が高過ぎたためである。
ハ　成形品のフローマークは、材料の予備乾燥時間が長過ぎたためである。
ニ　成形品のひけは、材料の予備乾燥温度が高過ぎたためである。

4 成形材料における色替えの組合せにおいて、次のうち、最も色替えしやすいものはどれか。

イ　黒色PS　→　白色ABS樹脂
ロ　黒色PC　→　白色PS
ハ　黒色PA　→　白色PP
ニ　黒色PA　→　白色PC

5 成形品のやけや、黒条の不良対策として、適切なものはどれか。

イ　スクリュー回転数を上げる。
ロ　射出速度を下げる。
ハ　射出圧力を上げる。
ニ　シリンダ温度を上げる。

6 成形品の残留応力の対策として、適切なものはどれか。

イ　金型温度を上げる。
ロ　射出圧力を上げる。
ハ　射出速度を上げる。
ニ　保圧を上げる。

［B群（多肢択一法)］

7　二次加工に関する記述として、誤っているものはどれか。

　イ　パッド印刷は、曲面の印刷に多用されている。
　ロ　真空蒸着は、蒸着膜を厚くできるので簡単には剥離しない。
　ハ　ホットスタンピングは、熱転写印刷の一種である。
　ニ　シルクスクリーン印刷は、他の印刷方法に比較してインキの転移が多い。

8　ノギスの使用に関する記述として、適切でないものはどれか。

　イ　使用の前後は、必ず測定面をきれいに拭き取る。
　ロ　止めねじは、できるだけ固く締める。
　ハ　M形ノギスで小さな穴の径を測るときは、見かけ上、小さめに読み取れることが多いので注意する。
　ニ　外側の測定に際しては、測定箇所と平行する面に垂直に当てる。

9　成形材料の着色に関する記述として、誤っているものはどれか。

　イ　透明成形品には、染料が使われる。
　ロ　着色剤の分散が最も優れているのは、ドライカラーリング法である。
　ハ　顔料は、不透明な成形品の着色に用いられる。
　ニ　ABS樹脂の着色には、マスターバッチ法がよく使われる。

10　下図の成形品の質量として、最も適切なものはどれか。
ただし、比重は1.1とし、計算は、小数第2位を四捨五入して、小数第1位までとする。
また、円周率(π)は3.14とする。

　イ　0.8g
　ロ　1.4g
　ハ　2.3g
　ニ　2.8g

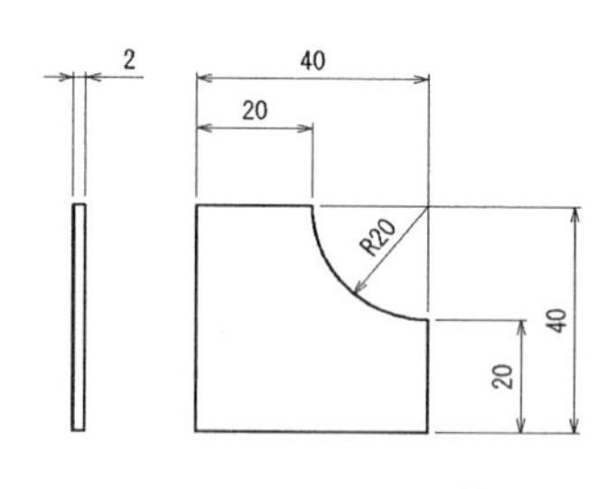

(単位　mm)

11　射出成形機のスクリューと逆流防止弁が摩耗している場合に発生する現象として、誤っているものはどれか。

　イ　混練不足による色むらが発生する。
　ロ　可塑化(計量)時間が短くなる。
　ハ　焼けが発生しやすくなる。
　ニ　ウェルドマークが発生しやすい。

［B群（多肢択一法）］

12　汎用射出成形機に用いられるスクリューに関する記述として、誤っているものはどれか。

　イ　ピッチは、一般に一定である。
　ロ　L／Dは、25～35のものが多い。
　ハ　計量部は、供給部より短い。
　ニ　圧縮比は、一般に2～3である。

13　油圧配管に関する記述として、適切でないものはどれか。

　イ　油圧装置に使用される管には、鋼管及びゴムホースがある。
　ロ　ゴムホースは、その柔軟性を利用して移動する装置に接続する時に使用する。
　ハ　ゴムホースの規格は、日本産業規格(JIS)に規定されている。
　ニ　ゴムホースは、鋼管に比べ、圧力応答性がよい。

14　下図の回路のときの電流計Ⓐが示す電流値として、正しいものはどれか。

　イ　3アンペア
　ロ　5アンペア
　ハ　6アンペア
　ニ　8アンペア

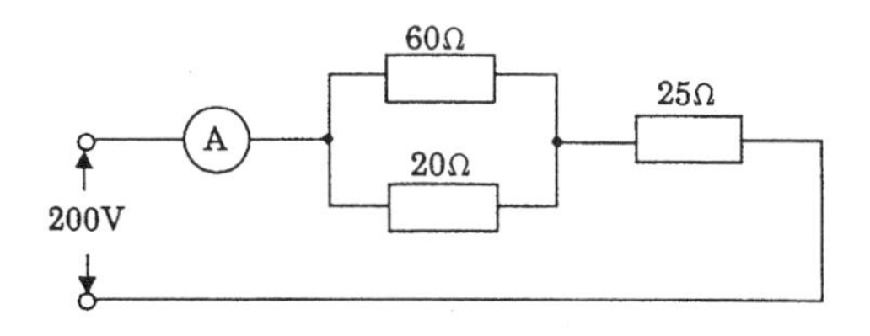

15　文中の(　　)内に当てはまる語句として、適切なものはどれか。

　制御量の検出やこれにともなう調節を行わずに、あらかじめ、条件設定を行うだけでプロセスを進行させていく制御方式を(　　)という。

　イ　クローズドループ制御
　ロ　オープンループ制御
　ハ　PID制御
　ニ　フィードバック制御

16　成形材料の混合・混練に使用される装置として、誤っているものはどれか。

　イ　ホッパローダ
　ロ　ミキサ
　ハ　ブレンダ
　ニ　ニーダ

17　金型構造に関する記述として、正しいものはどれか。

　イ　ダイレクトゲート方式の金型は、3プレート構造である。
　ロ　傾斜コア(ルーズコア)は、一般に、外側アンダーカット処理に使用される。
　ハ　ストリッパ突出し方式の金型は、スペーサブロックを必要としないことがある。
　ニ　ホットランナ方式の金型には、ランナストリッパが必要である。

［B群（多肢択一法）］

18 ランナーやゲートの付け方に関する記述として、誤っているものはどれか。

イ 多数個取り金型では、各キャビティが同時に充填されるようにランナーやゲートを配置する。

ロ ゲートは成形品の肉厚部分に付けるのがよい。

ハ 成形品に生じるそりや変形はゲート位置と無関係である。

ニ コールドスラグウェルとは、スプルーやランナーの一部に冷えかけた材料を取り除く部分である。

19 日本産業規格(JIS)の「モールド用サポートピラ」に関する記述として、誤っているものはどれか。

イ 直径の寸法公差の幅は、全長の寸法公差よりも狭い。

ロ サポートピラの表示は、規格名称、規格番号、種類又はその記号、外径及び長さを表示しなければならない。

ハ 形状には、A形及びB形の2種類がある。

ニ 外径寸法は、φ25,32,40,50,63,80の6種類がある。

20 金型の保守管理に関する注意事項として、誤っているものはどれか。

イ 難燃性材料の成形後は、ただちにグリースを十分に塗布しておく。

ロ 防錆(せい)剤を塗る前には、キャビティ面の不純物を取り除く。

ハ キャビティ面の汚れなどは、柔らかい布でこすらないように軽く拭きとる。

ニ 防錆(せい)剤は、キャビティ以外の摺(しゅう)動部分などにも塗布しておく。

21 次の熱可塑性プラスチックのうち、アイゾット衝撃値が最も高い材料はどれか。

イ PC

ロ PMMA

ハ 変性PPE

ニ AS樹脂

22 次のうち、比重が最も大きいプラスチックはどれか。

イ POM

ロ ABS樹脂

ハ PPE

ニ PC

23 日本産業規格(JIS)におけるポリエチレンの材料試験方法として、対象とならないものはどれか。

イ MFR

ロ 引裂試験

ハ 引張試験

ニ 曲げ試験

［B群（多肢択一法）］

24　文中の(　　)内に当てはまる数値として、正しいものはどれか。

日本産業規格(JIS)によれば、機械製図に用いる線において、互いに近接して描く平行線の線と線との隙間は(　　)mm以上が望ましいと規定されている。

イ　0.4
ロ　0.5
ハ　0.6
ニ　0.7

25　文中の(　　)内に当てはまる語句として、正しいものはどれか。

食品衛生法によれば、当該法律は、(　　)に起因する衛生上の危害の発生を防止し、もって国民の健康の保護を図ることを目的とする。

イ　食品
ロ　加工
ハ　調理
ニ　飲食

令和４年度技能検定

１級 プラスチック成形 学科試験問題

(射出成形作業)

1. 試験時間　1時間40分
2. 問題数　50題(A群25題、B群25題)
3. 注意事項

(1) 係員の指示があるまで、この表紙はあけないでください。

(2) 答案用紙(真偽法と多肢択一法の併用)に検定職種名、作業名、級別、受検番号、氏名を必ず記入してください。

(3) 係員の指示に従って、問題数を確かめてください。それらに異常がある場合は、黙って手を挙げてください。問題はA群(真偽法)とB群(多肢択一法)とに分かれています。

(4) 試験開始の合図で始めてください。

(5) 解答の方法(真偽法と多肢択一法の併用)は次のとおりです。

イ. A群の問題(真偽法)は、一つ一つの問題の内容が正しいか、誤っているかを判断して解答してください。

ロ. B群の問題(多肢択一法)は、正解と思うものを一つだけ選んで、解答してください。二つ以上に解答した場合は誤答となります。

ハ. 答案用紙(マークシート用紙)へ解答する際は、答案用紙に記載されている注意事項に従ってください。

ニ. 答案用紙の解答欄は、A群の問題とB群の問題とでは異なります。所定の解答欄に、試験問題の題数に応じて解答してください。解答欄はA群は50題まで、B群は25題まで解答できるようになっています。

(6) 電子式卓上計算機その他これと同等の機能を有するものは、使用してはいけません。

(7) 携帯電話、スマートフォン、ウェアラブル端末等は、使用してはいけません。

(8) 試験中、質問があるときは、黙って手を挙げてください。ただし、試験問題の内容、漢字の読み方等に関する質問にはお答えできません。

(9) 試験終了時刻前に解答ができあがった場合は、黙って手を挙げて、係員の指示に従ってください。

(10) 試験中に手洗いに立ちたいときは、黙って手を挙げて、係員の指示に従ってください。

(11) 試験終了の合図があったら、筆記用具を置き、係員の指示に従ってください。

［A群（真偽法）］

1 延伸ブロー成形とは、押し出された溶融パリソンの下端をパリソンピンチ装置によってピンチし、下方に引っ張りながらブロー成形する方法をいう。

2 ポリアミドは、ポリエチレンに比べて吸湿性の大きいポリマーである。

3 電気設備に関する技術基準において、電圧は、低圧、高圧及び特別高圧の3つに区分される。

4 パレート図とは、項目別に層別して出現度数の小さい順に棒グラフで示したものをいう。

5 労働安全衛生法関係法令によれば、労働災害とは、労働者の就業に係る建設物、設備、原材料、ガス、蒸気、粉じん等により、又は作業行動その他業務に起因して、労働者が負傷し、疾病にかかり、又は死亡することをいう。

6 射出圧縮成形法やガスアシスト射出成形法における充てん圧力は、一般の射出成形法よりも低くできる。

7 ヘジテーションとは、ランナー及びキャビティにおいて、樹脂の流動が瞬間的に停滞することをいう。

8 PBTの予備乾燥は、熱風式ホッパドライヤにより、120～130℃で3～5時間行うとよい。

9 ポリスチレン(PS)の成形における銀条の対策として、背圧を上げることが有効である。

10 ポリエチレンやポリプロピレンの接着性を良くするには、接着面に火炎処理やコロナ放電処理をするとよい。

11 マイクロメータのラチェットストップは、測定圧力を一定にする働きはない。

12 プラスチックの着色に用いられる顔料の使用は、透明成形品に限られる。

13 成形品のアニーリングは、荷重たわみ温度まで温度を上昇させた加熱炉内で、一定時間加熱すると効果が高い。

14 1個90gの製品を1000個成形したところ、不良品100個が発生した。これに要した材料が100kgである場合の材料歩留り率は81.0%である。

15 射出成形機のサックバック装置は、ノズルから溶融樹脂が漏れるのを防止するために使用される。

［A群（真偽法)］

16　電動式射出成形機の射出圧力は、射出サーボモータの電流値を換算して検出している。

17　7.5kWで200Vの三相電動機(効率0.8、力率0.8)には、5Aの電流が流れる。

18　射出成形機の加熱シリンダに設けられたベント装置は、成形材料の水分や揮発分を効果的に除去する役割がある。

19　プラスチック成形用金型の材料に使用されるS55Cの55は、引張強さを表している。

20　金型修理の際に溶接を行う場合、焼入れされた金型は、焼入れされていない金型よりも割れにくい。

21　PSは、耐摩耗性が優れているため、機械部品としてのギヤやカムなどの材料に用いられる。

22　インサート金具とプラスチックとは熱膨張係数が異なるため、インサート周辺にクラックが生じることがある。

23　PMMA成形品の接着にドープセメントを使用した場合は、溶剤だけで接着した場合に比べて、肉やせが少ない。

24　次の成形材料とその略号の組合せは正しい。

[成形材料]	[略号]
ポリフェニレンスルフィド	PESU

25　騒音規制法関係法令では、合成樹脂用射出成形機を特定施設に指定している。

［B群（多肢択一法）］

1　非強化ポリスルホン(PSU)の成形条件として、適切でないものはどれか。
　イ　樹脂温度は、350～390℃が必要である。
　ロ　乾燥は、除湿式ホッパドライヤでは、135～165℃で3～4時間が必要である。
　ハ　金型温度は、80℃に設定する。
　ニ　パージ材として、PCを使用するとよい。

2　GF－PET樹脂の成形及び品質に関する記述として、誤っているものはどれか。
　イ　予備乾燥を十分に行わないと、強度が弱くなる。
　ロ　結晶化度を上げるには、型温は70℃以下がよい。
　ハ　表面光沢を良くするためには、型温を高くする。
　ニ　荷重たわみ温度は、220～240℃(1.81MPa負荷)である。

3　成形材料の予備乾燥に関する記述として、誤っているものはどれか。
　イ　乾燥により成形条件の冷却時間が短くなる。
　ロ　乾燥不足の場合、鼻タレ、ばり、オーバーパックの原因になる。
　ハ　微量の水分も嫌うPET、PBT、PCには、除湿熱風乾燥機が適している。
　ニ　PE、PPで着色剤を含んだものは、乾燥した方がよい。

4　材料替えを行う場合、材料ロスを少なくするために行うパージ作業の記述として、誤っているものはどれか。
　イ　計量値を大きくする。
　ロ　背圧を上げる。
　ハ　射出圧力を上げる。
　ニ　射出速度を上げる。

5　PMMA成形品に発生する不良項目のうち、機械的強度への影響が少ないものはどれか。
　イ　気泡(ボイド)
　ロ　ウェルドライン
　ハ　フローマーク
　ニ　ストレスクラッキング

6　成形品のばりに関する記述として、正しいものはどれか。
　イ　V－P切換え位置に関係するが、切り換えが早いときは発生しにくい。
　ロ　型温や型締力に関係するが、型そのもののでき具合いには関係しない。
　ハ　射出速度や射出圧力に関係するが、加熱筒温度には関係しない。
　ニ　製品の投影面積と型締力に関係するが、使用材料の流動性には関係しない。

［B群（多肢択一法）］

7　同材質の成形品を超音波溶着する場合、次の材料のうち溶着強度が最も低いものはどれか。

イ　ABS樹脂
ロ　PE
ハ　PS
ニ　PC

8　マイクロメータの取扱いに関する記述として、適切でないものはどれか。

イ　マイクロメータと被測定物を十分に室温になじませておく。
ロ　両測定面を布でよく拭きとる。
ハ　目盛は、真正面から読む。
ニ　スピンドルをクランプした状態で保管する。

9　着色剤とその成形材料に関する組合せとして、適切でないものはどれか。

	[着色剤]	[成形材料]
イ	分散性粉末顔料	PMMA透明品
ロ	ペースト状着色剤	軟質PVC
ハ	リキッドカラー	ABS樹脂
ニ	マスターバッチ	PA

10　下図の成形品の質量として最も近いものはどれか。ただし、比重は1.2、π=3.14とする。

イ　30g
ロ　36g
ハ　48g
ニ　60g

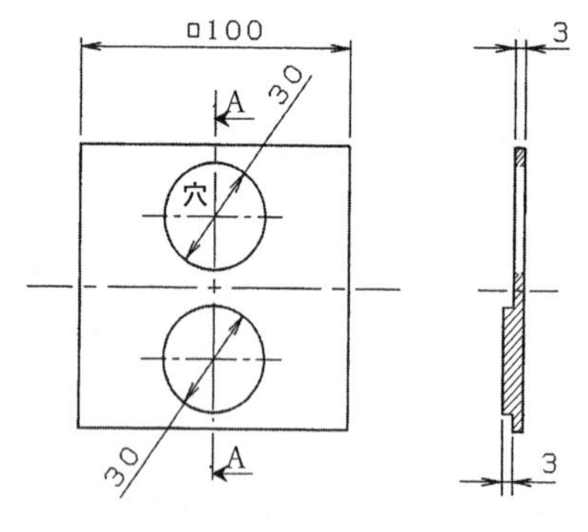

A‐A断面
(単位：mm)

［B群（多肢択一法）］

11 成形機の型締装置に関する記述として、誤っているものはどれか。
　イ ブースタ式型締装置は、ブースタラムによって大きな型締力を発生する。
　ロ トグル式の型締力は、タイバーの伸びによって発生させている。
　ハ 増圧式型締装置は、型締シリンダと増圧シリンダの2段階方式で型締めを行う。
　ニ トグル式型締装置には、シングルリンク式とダブルリンク式がある。

12 材料とそれに使用するスクリューヘッドの組合せとして、誤っているものはどれか。

	[材　料]	[スクリューヘッド]
イ	PA	ストレート形スクリューヘッド
ロ	硬質PVC	ストレート形スクリューヘッド
ハ	PP	逆流防止弁付きスクリューヘッド
ニ	ABS樹脂	逆流防止弁付きスクリューヘッド

13 投影面積が100cm²の製品をキャビティ内圧50MPaで成形する場合、必要とする型締力として、最も適切なものはどれか。
　イ 50kN以上
　ロ 200kN以上
　ハ 500kN以上
　ニ 5000kN以上

14 成形機等の設備電源容量を示すkVAの説明に関する記述として、正しいものはどれか。
　イ 無効電力を含むので、通常、kWよりも大きい数値となる。
　ロ kVAとkWとは常に同じ数値である。
　ハ kVAはモータに流れる電力でヒータは含まれない。
　ニ 3相4線式の場合はkVA表示をする。

15 成形工程中における製品の良否判別に用いる監視項目として、一般に、必要としないものはどれか。
　イ スクリューの最前進位置
　ロ 射出一次圧時間
　ハ 計量時間
　ニ 型開き停止位置

16 成形材料の混合・混練に使用される装置として、誤っているものはどれか。
　イ ブレンドローダー
　ロ 磁気セパレーター
　ハ ニーダー
　ニ ミキサー

［B群（多肢択一法）］

17 機能面からゲート形状を記述したものとして、誤っているものはどれか。

イ　サイドゲートは、標準ゲートとも呼ばれ、一般に、キャビティの端面に設けられる。

ロ　ディスクゲートは、円形状又はパイプ成形用としてよく使用されるが、成形品の均一充てんに適している。

ハ　トンネルゲートは、サブマリンゲートとも呼ばれ、型開き時のゲート自動切断用として可動側にのみ使用される。

ニ　ダイレクトゲートは、非制限ゲートとも呼ばれ、一般に、ひけを嫌う底面積の大きな成形品に使用される。

18 スライドコアをアンギュラピンで作動させる場合、アンギュラピンの角度の一般的な上限として、適切なものはどれか。

イ　7°程度

ロ　12°程度

ハ　25°程度

ニ　45°程度

19 日本産業規格(JIS)において、モールド金型に用いる部品として、規定されていないものはどれか。

イ　モールド用ガイドピン

ロ　プラスチック用金型のロケートリング

ハ　モールド用平板部品

ニ　モールド金型用シャンク

20 金型をクロムめっき処理する利点として、適切でないものはどれか。

イ　金型の耐食性が向上する。

ロ　製品の外観が良くなる。

ハ　金型寿命が延びる。

ニ　金型の寸法精度が一段と向上する。

21 成形材料に関する記述として、誤っているものはどれか。

イ　ポリアセタールには、ホモポリマーとコポリマーがある。

ロ　ポリプロピレンは、非晶性樹脂であるため不透明である。

ハ　ナイロン6は、ガラス繊維の補強で荷重たわみ温度が大幅に向上する。

ニ　ポリカーボネートのぜい化温度は、約－135℃である。

22 次のうち、耐熱性の指標となるガラス転移点(温度)が最も高い非晶性プラスチックはどれか。

イ　ポリカーボネート

ロ　ポリエーテルスルホン

ハ　アクリル樹脂

ニ　ポリスチレン

［B群（多肢択一法）］

23 日本産業規格(JIS)によれば、熱可塑性射出成形品の機械的性質の試験に含まれないものはどれか。

イ 絶縁破壊強さ
ロ 曲げ強さ
ハ 圧縮強さ
ニ アイゾット衝撃強さ

24 日本産業規格(JIS)のはめあい方式において、穴寸法と軸寸法が次の場合の最大しめしろとして、正しいものはどれか。

穴寸法 $\phi\, 50^{+0.025}_{0}$　　軸寸法 $\phi\, 50^{+0.042}_{+0.026}$

イ 0.001
ロ 0.017
ハ 0.026
ニ 0.042

25 電気用品安全法における、電気用品の定義に関する文中の(　　)内に当てはまる語句として、適切なものはどれか。

1 一般用電気工作物(電気事業法に規定する一般用電気工作物をいう。)の部分となり、又はこれに接続して用いられる機械、(　　)又は材料であって、政令で定めるもの
2 携帯発電機であって、政令で定めるもの
3 蓄電池であって、政令で定めるもの

イ 電線
ロ 変圧器
ハ 分電盤
ニ 器具

令和３年度 技能検定
１級 プラスチック成形 学科試験問題
(射出成形作業)

1. 試験時間　1時間40分
2. 問題数　50題(A群25題、B群25題)
3. 注意事項

(1)　係員の指示があるまで、この表紙はあけないでください。

(2)　答案用紙(真偽法と多肢択一法の併用)に検定職種名、作業名、級別、受検番号、氏名を必ず記入してください。

(3)　係員の指示に従って、問題数を確かめてください。それらに異常がある場合は、黙って手を挙げてください。問題はA群(真偽法)とB群(多肢択一法)とに分かれています。

(4)　試験開始の合図で始めてください。

(5)　解答の方法(真偽法と多肢択一法の併用)は次のとおりです。

イ．A群の問題(真偽法)は、一つ一つの問題の内容が正しいか、誤っているかを判断して解答してください。

ロ．B群の問題(多肢択一法)は、正解と思うものを一つだけ選んで、解答してください。二つ以上に解答した場合は誤答となります。

ハ．答案用紙(マークシート用紙)へ解答する際は、答案用紙に記載されている注意事項に従ってください。

ニ．答案用紙の解答欄は、A群の問題とB群の問題とでは異なります。所定の解答欄に、試験問題の題数に応じて解答してください。解答欄はA群は50題まで、B群は25題まで解答できるようになっています。

(6)　電子式卓上計算機その他これと同等の機能を有するものは、使用してはいけません。

(7)　携帯電話、スマートフォン、ウェアラブル端末等は、使用してはいけません。

(8)　試験中、質問があるときは、黙って手を挙げてください。ただし、試験問題の内容、漢字の読み方等に関する質問にはお答えできません。

(9)　試験終了時刻前に解答ができあがった場合は、黙って手を挙げて、係員の指示に従ってください。

(10)　試験中に手洗いに立ちたいときは、黙って手を挙げて、係員の指示に従ってください。

(11)　試験終了の合図があったら、筆記用具を置き、係員の指示に従ってください。

［A群（真偽法）］

1 熱硬化性樹脂は、加熱することで流動状態をなし、金型内で冷却することで固化し、成形品を得る。

2 PMMAは、PEに比べて吸湿性の大きいポリマーである。

3 材質と長さが同じ太い電線と細い電線に、電流値が同じ電流を一定時間流した場合、発生する熱量は、細い電線の方が小さい。

4 *p*管理図は、工程を不良率で管理するための管理図である。

5 労働安全衛生法関係法令によれば、機械と機械との間又は機械と他の設備との間に設ける通路は、幅80cm以上としなければならない。

6 2色射出成形機は、射出装置を2組備え、2色又は2種の成形材料を同時に射出して一体成形することができる。

7 ガラス繊維入りPBTを、下図のように矢印の方向から充填させて成形品を作った場合、一般に、A方向の収縮率は、B方向の収縮率よりも大きくなる。

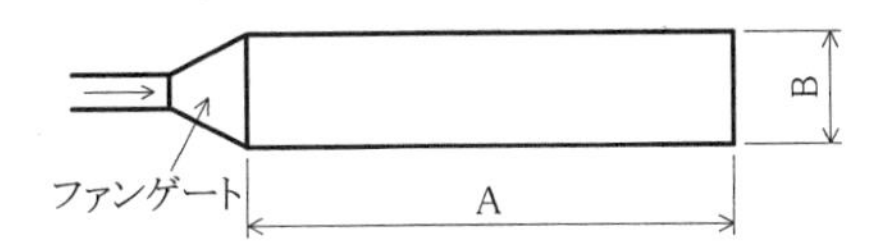

8 限界吸水率とは、成形品が外観、強度、成形性に悪影響を与えない限界の吸水率のことをいう。

9 ポリカーボネートに発生する不良項目であるボイド(気泡)は、機械的強度に影響しない。

10 メタライジングとは、プラスチック表面に金属層を形成させることで、真空蒸着法、スパッタリング、メッキがある。

11 ダイヤルゲージを使用する場合、ダイヤルゲージを固定するためにマグネットスタンドがよく用いられる。

12 50kg用タンブラーで顔料を混合する場合、原料を入れてから、一般に、約10～15分混合する。

13 厚さ 3mm のポリカーボネート成形品の残留応力を除く場合には、90～100℃の熱風乾燥機中に 30 分程度アニーリングするとよい。

［A群（真偽法）］

14　体積が同じ場合、低密度PEで質量が105gの成形品は、PA6では100gとなる。

15　プリプラシリンダでは、射出中に、次のショットのプラスチック材料を溶融することができる。

16　電動式射出成形機の駆動源に使われるサーボモータは、回転速度及びトルクをそれぞれ単独で設定できる。

17　シーケンス制御は、一つの成形サイクル中の各段階を、あらかじめ設定された順序に従って、動作を進行させる制御方式である。

18　加熱シリンダ内の成形材料が、設定温度に達しないうちに、スクリューを起動させると、スクリューや加熱シリンダーを損傷するおそれがあるので、冷間起動防止装置により、スクリューの起動を制限することができる。

19　エジェクタスリーブは、金型の突出し機構の部品の一種で、成形品の穴付きボスなどを突き出す場合に使用される。

20　金型の冷却水用ニップルの取り付けねじには、一般に、メートル並目ねじが用いられている。

21　塩化ビニル樹脂に用いられる可塑剤は、製品の硬さを増加させるためのものである。

22　インサート金具のシャープエッジは、成形品へ応力集中が起き、クラックを発生しやすくなる。

23　ひずみがある非晶性プラスチックの成形品を揮発性の高い有機溶剤で接着するとクレージングが発生しやすい。

24　ポリアセタールの略号は、PAである。

25　原動機の定格出力が10kWのエアコンプレッサは、振動規制法関係法令の特定施設としての適用を受けない。

［B群（多肢択一法）］

1 射出圧力の算出式として正しいものは、次のうちどれか。ただし、射出圧力をP、油圧をP_0、射出ラム断面積をA、スクリュー断面積をA_0とする。

イ $P=P_0 \times A_0 \div A$

ロ $P=A \times A_0 \div P_0$

ハ $P=P_0 \times A \div A_0$

ニ $P=A \times A_0 \times P_0$

2 射出成形条件と成形品の品質に関する記述として、誤っているものはどれか。

イ ジェッティングの対策として、充てん速度を低速にするとよい。

ロ ガス焼けは、射出速度の影響が大きい。

ハ 金型温度を高くすると、フローマークは目立ちにくくなる。

ニ ひけ防止対策としての成形条件は、保圧を低くして保圧時間を短くするとよい。

3 成形作業中の加水分解を防ぐ目的で、予備乾燥が必要な成形材料はどれか。

イ ABS樹脂

ロ PBT

ハ AS樹脂

ニ PE

4 成形材料の色替え及び材質替えに関する記述として、誤っているものはどれか。

イ 次の成形に使用する材料によっては、パージ材を使用する必要がない。

ロ 専用のパージ材を使用するときは、材質の選定が重要である。

ハ 定期的にスクリューを取り出し、逆止弁やスクリューに付着した炭化物やきずがないかを調べる。

ニ 成形材料をパージ材として使用する場合、温度によって溶融粘度が低下しやすいものが適している。

5 ガラス繊維強化PBTでガラスの浮きが目立つ原因の対策として、適切でないものはどれか。

イ 射出速度を速くする。

ロ 金型温度を低くする。

ハ シリンダ温度を上げる。

ニ ガス抜きを充分にする。

6 箱形の射出成形品がキャビティに残るのを防ぐため、成形条件の変更として正しいものはどれか。

イ 金型温度を高くする。

ロ 射出時間を長くする。

ハ 冷却時間を長くする。

ニ 保圧を高くする。

［Ｂ群（多肢択一法）］

7　樹脂コーティングの膜によって向上する機能として、当てはまらないものはどれか。

イ　帯電防止
ロ　耐紫外線性
ハ　耐摩耗性
ニ　ガス透過性

8　文中の下線部のうち、誤っているものはどれか。

三次元測定機は、X軸、Y軸、Z軸の各軸方向に移動し、測定物表面上の空間座標
　　　　　　　　　　　　　　イ　　　　　　　　　　　　　　　　　　ロ
を読みとることができる測定機であり、同軸度、直角度、表面硬度などを能率よく
　　　　　　　　　　　　　　　　　　ハ　　　　　　　ニ
測定できる測定機である。

9　材料の着色剤及び着色法に関する記述として、誤っているものはどれか。

イ　着色ペレット法は、着色剤の分散が最も優れている。
ロ　顔料は、プラスチックに溶けず、微結晶粒子が拡散した形で着色する。
ハ　一般に、染料は不透明な成形品の着色に用いられる。
ニ　ドライカラーリング法は、ABS樹脂の着色に用いられる。

10　1個100gの成形品を2600個成形したところ、130個の不良品が出た。これに要した材料が300kgであった場合の不良率と材料歩留り率の組合せとして、正しいものはどれか。

	[不良率]	[材料歩留り率]
イ	6%	78.3%
ロ	5%	80.3%
ハ	5%	82.3%
ニ	6%	86.3%

11　射出成形機のスクリューが摩耗している場合に発生する現象として、誤っているものはどれか。

イ　材料の計量が不正確になる。
ロ　射出時のクッション量が安定しない。
ハ　材料によっては、焼けが発生する。
ニ　充てん圧力が上昇する。

12　成形機等、装置の故障時のフェールセーフの意味は、次のどれが正しいか。

イ　故障した場合に自動復帰すること。
ロ　平均故障間隔(MTBF)が 5000 時間以上であること。
ハ　故障に対して二重三重の安全装置を持つこと。
ニ　故障しても安全側に停止すること。

［B群（多肢択一法）］

13　日本産業規格(JIS)によれば、下図に示す圧力制御弁のうち、減圧弁はどれか。

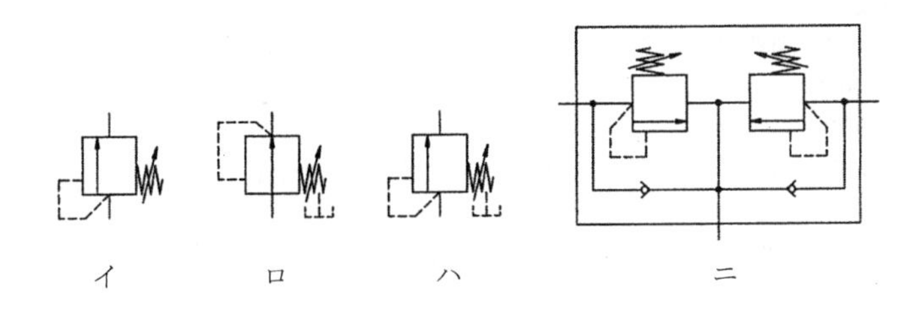

14　下図において、ヒューズに必要となる電流の大きさとして最低限必要なものはどれか。

ただし、R1とR2の消費電力は、それぞれ1kWである。

イ　5 A

ロ　10 A

ハ　20 A

ニ　50 A

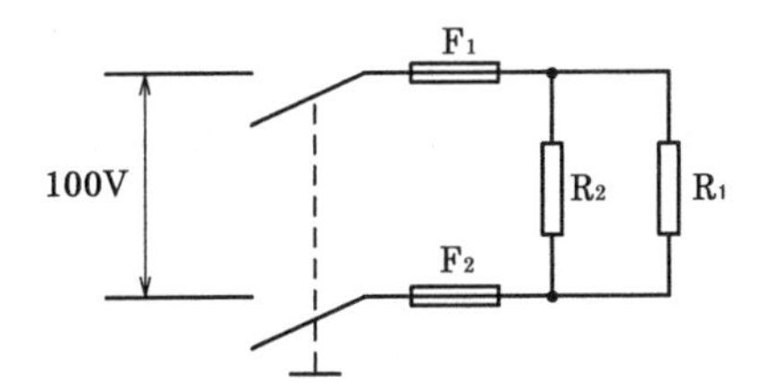

15　プログラム制御において、成形サイクル短縮を目的とした制御項目はどれか。

イ　射出速度

ロ　射出圧力

ハ　スクリュー回転数及び背圧

ニ　型開閉動作

16　文中の(　　)内に入る語句として、適切なものはどれか。

PAのように高温にすると変色しやすいペレットの予備乾燥によく使用されるのは、(　　)式のものである。

イ　真空

ロ　除湿

ハ　赤外線

ニ　熱風循環

［B群（多肢択一法）］

17 アンギュラピンを使用してスライドコアを作動させる金型で、成形品の取り出し後、金型を閉じる順序として、正しいものはどれか。

イ 型閉じ動作によって、突出しピンを後退させながら型閉じを完了する。

ロ 型閉じ動作開始前に、あらかじめ突出しピンを後退させ、その後型閉じを開始する。

ハ 型閉じによってアンギュラピンがスライドコアを作動させてから、突出しピンを後退させる。

ニ 型閉じ動作開始後、突出しピンを後退させて型閉じを完了する。

18 金型のエアベントの効果により防止可能な不良として、当てはまらないものはどれか。

イ ショートショット

ロ 銀条

ハ 焼け

ニ ジェッティング

19 日本産業規格(JIS)の「プラスチック射出成形機の金型関連寸法」に関する記述として、誤っているものはどれか。

イ 金型取付穴の配置は、金型の寸法に準じて自由に設定することができると定められている。

ロ 押出しロッド穴の配置は、可動盤サイズに準じて、位置及びロッド径が定められている。

ハ ノズル先端の球状の曲率半径とその許容差は、定められている。

ニ 射出成形機のロケートリング用穴の深さは、定められている。

20 プラスチック用金型に関する記述として、誤っているものはどれか。

イ 金型を長期間保管する場合、防錆剤としてグリースオイルは適していない。

ロ 長期間連続成形する場合でも、定期的な点検が必要である。

ハ 成形品のばりは、次第に大きくなるので、早めに金型を修理しなければならない。

ニ ランナロックピンのアンダーカットが摩耗すると、ランナは取り出しやすくなる。

21 成形材料の特性として、射出成形条件に関して最も必要なものはどれか。

イ 荷重たわみ温度

ロ 熱膨張係数

ハ MFR

ニ 熱伝導率

［B群（多肢択一法）］

22　バーナーの炎を当てると燃え、炎を遠ざけると燃え続けない樹脂はどれか。

　イ　ポリカーボネート
　ロ　ポリスチレン
　ハ　ポリアセタール
　ニ　ポリエチレン

23　日本産業規格(JIS)において、プラスチック材料の試験法として、規定されていないものはどれか。

　イ　成形流動性の試験
　ロ　物理的性質の試験
　ハ　持続耐電圧の試験
　ニ　燃焼性質の試験

24　日本産業規格(JIS)の製図における寸法線で、弧の長さを示すものとして、正しいものはどれか。

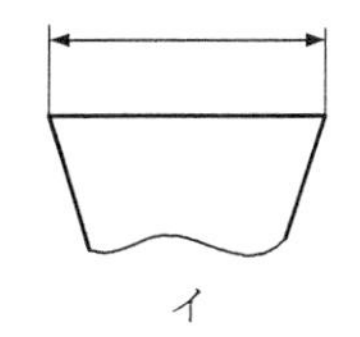
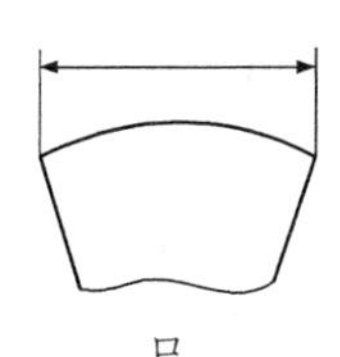
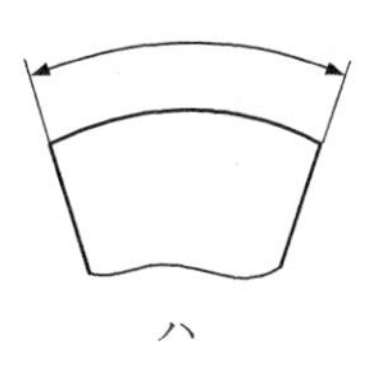
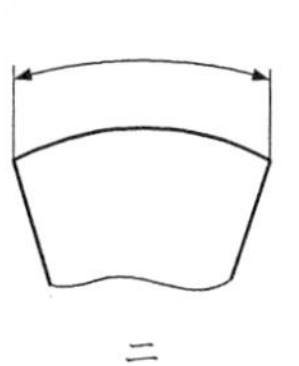

イ　　ロ　　ハ　　ニ

25　家庭用品品質表示法及び合成樹脂加工品品質表示規程において、表示規定の対象品目について、表示項目として規定されていないものはどれか。

	[表示項目]	[表示内容]
イ	表示事項	成分、性能、用途など
ロ	遵守事項	原料、温度、容量表示方法など
ハ	試験方法	材料、添加剤など
ニ	表示者	製造業者、販売業者など

令和５年度技能検定

２級 プラスチック成形 学科試験問題

（インフレーション成形作業）

1. 試験時間　1時間40分
2. 問題数　50題(A群25題、B群25題)
3. 注意事項

(1)　係員の指示があるまで、この表紙はあけないでください。

(2)　答案用紙(真偽法と多肢択一法の併用)に検定職種名、作業名、級別、受検番号、氏名を必ず記入してください。

(3)　係員の指示に従って、問題数を確かめてください。それらに異常がある場合は、黙って手を挙げてください。問題はA群(真偽法)とB群(多肢択一法)とに分かれています。

(4)　試験開始の合図で始めてください。

(5)　解答の方法(真偽法と多肢択一法の併用)は次のとおりです。

イ．　A群の問題(真偽法)は、一つ一つの問題の内容が正しいか、誤っているかを判断して解答してください。

ロ．　B群の問題(多肢択一法)は、正解と思うものを一つだけ選んで、解答してください。二つ以上に解答した場合は誤答となります。

ハ．　答案用紙(マークシート用紙)へ解答する際は、答案用紙に記載されている注意事項に従ってください。

ニ．　答案用紙の解答欄は、A群の問題とB群の問題とでは異なります。所定の解答欄に、試験問題の題数に応じて解答してください。解答欄はA群は50題まで、B群は25題まで解答できるようになっています。

(6)　電子式卓上計算機その他これと同等の機能を有するものは、使用してはいけません。

(7)　携帯電話、スマートフォン、ウェアラブル端末等は、使用してはいけません。

(8)　試験中、質問があるときは、黙って手を挙げてください。ただし、試験問題の内容、漢字の読み方等に関する質問にはお答えできません。

(9)　試験終了時刻前に解答ができあがった場合は、黙って手を挙げて、係員の指示に従ってください。

(10)　試験中に手洗いに立ちたいときは、黙って手を挙げて、係員の指示に従ってください。

(11)　試験終了の合図があったら、筆記用具を置き、係員の指示に従ってください。

［A群（真偽法）］

1 一般的な押出成形は、一定量のプラスチック成形材料をピストン(反復)運動で押し出す成形法である。

2 熱可塑性樹脂成形品は、いったん硬化した後は、加熱しても溶融変形はしない。

3 300 Wの電熱器と600 Wの電熱器では、供給する電圧値が同じであれば、電熱器に流れる電流値は同じである。

4 抜取検査とは、検査ロットのすべての製品について行う検査をいう。

5 労働安全衛生法関係法令によれば、1年を超える期間使用しないフォークリフトは、当該使用しない期間において、1年を超えない期間ごとに行う定期自主検査は行わなくてもよい。

6 IPPフィルムは、下向き空冷インフレーション法で成形される。

7 一般に、インフレーション成形法は、Tダイフィルム成形法よりも透明性が得にくい。

8 インフレーションフィルムを成形する場合、フィルムの引取速度が変動すると、折径も変動する。

9 製品質量100kg、ロス質量5kgの場合のロス率は、5.0%である。

10 LDPEのインフレーション成形において、ピンチラバーロールの硬度が高過ぎると、フィルムの折目強度が低下することがある。

11 アイオノマーフィルムの成形時に生じる気泡の原因の一つとして、材料が吸湿していたことが考えられる。

12 添加剤のブリード(浮出し)によって、成形後、フィルムの透明性が低下することがある。

13 バブル周辺の温度差は、フィルムのたるみの原因にはならない。

14 グラビア印刷は、凸版印刷の一種である。

15 表面処理度(ぬれ張力)は、一般に、コロナ放電処理後、時間が経過しても変化しない。

16 コロナ放電処理機の電極には、高電圧が使用されている。

［A群（真偽法）］

17 押出機のスラストベアリングは、押出機先端の樹脂圧力が高い状態で運転を続けると、寿命が短くなる。

18 押出機の減速機側のプーリーの直径を小さくすると、スクリューの最高回転速度は遅くなる。

19 サーフェスワインダで巻き取られたロールの巻きかたさは、一般に、センタードライブワインダで巻き取られたロールよりもやわらかい。

20 アンチブロッキング剤は、フィルムの開口性を良くするために添加される。

21 LLDPEフィルムの引張強さは、LDPEフィルムよりも優れている。

22 日本産業規格(JIS)には、農業用PEフィルムに関する規定がある。

23 日本産業規格(JIS)によれば、「プラスチックフィルム」とは、厚さが0.25mm未満のプラスチックの膜状のものをいう。

24 日本産業規格(JIS)によれば、インチを単位としたねじの規格もある。

25 騒音規制法関係法令によれば、指定の地域において、空気圧縮機などの設備を持つ特定工場は、住民の生活環境を守るため、時間帯によって、ある大きさ以上の音を出さないように規制されている。

［B群（多肢択一法）］

1 フィルム用材料に関する記述として、正しいものはどれか。
  イ LLDPEの密度が小さくなるにつれて樹脂は硬くなる。
  ロ HDPEの融点は、LLDPEより高い。
  ハ 重包装袋用には、MFRの大きい樹脂が適する。
  ニ LDPEは、120°Cのレトルト滅菌にも耐え得る。

2 LLDPEのインフレーション成形において、バブルの冷却条件がフィルムの品質などに及ぼす影響として、誤っているものはどれか。
  イ バブルの冷却風量を多くすると、フロストラインが下がる。
  ロ バブルの冷却風量を多くすると、フィルムの透明性は悪くなる。
  ハ バブルの冷却風量を少なくすると、折径が大きくなる。
  ニ バブルの冷却風量を少なくすると、ブロッキングを起こしやすくなる。

3 文中の下線で示す部分のうち、誤っているものはどれか。

フィルムの折径が大きいほど巻取張力を強く（イ）しないと、巻きぶれを起こしやすく（ロ）、薄物フィルムの張力を強くして巻き取ると横じわが発生し（ハ）、フィルムの折径は小さく（ニ）なることがある。

4 文中の(　　)内に当てはまる語句として、適切なものはどれか。

PEのインフレーションフィルムは、一般に、時間が経過すると成形直後より(　　)。
  イ 長さ方向が長くなり、幅方向は狭くなる
  ロ 長さ方向が短くなり、幅方向は狭くなる
  ハ 長さ方向が長くなり、幅方向は広くなる
  ニ 長さ方向が短くなり、幅方向は広くなる

5 成形中に条件が次のように変わった場合、フロストラインが高くなるものはどれか。
  イ 押出樹脂量が低下した場合
  ロ 冷却エア温度が低くなった場合
  ハ 冷却エア量が多くなった場合
  ニ 押出樹脂温度が高くなった場合

6 バブルの傾きに関する記述として、誤っているものはどれか。
  イ バブル冷却エア量の少ない方に片寄る。
  ロ ピンチラバーロール押圧力の高い方に片寄る。
  ハ フィルムの厚い方に片寄る。
  ニ ピンチラバーロール径の大きい方に片寄る。

［Ｂ群（多肢択一法）］

7　インフレーションフィルム成形において、押出しむらの原因として、誤っているものはどれか。

イ　スクリュー外径の摩耗

ロ　樹脂圧力の変動

ハ　樹脂温度の大きいハンチング

ニ　スクリュー回転速度の変動

8　PEフィルムが帯電したときに起こる現象として、誤っているものはどれか。

イ　蓄積された電位が高くなると、自己放電を起こす。

ロ　紙管巻きのときに、周期的な巻きぶれを起こす。

ハ　印刷を行うと、印刷汚れが発生する。

ニ　製袋直後の袋に、不揃(そろ)いが発生する。

9　フィルムの折目強度不足を改善する方法として、正しいものはどれか。

イ　第1ピンチラバーロールの押圧力を上げる。

ロ　成形温度を上げる。

ハ　成形速度を上げる。

ニ　ブロー比を小さくする。

10　巻取ワインダとして、サーフェスワインダが適さない製品はどれか。

イ　農業用PEフィルム

ロ　ドライラミネート用フィルム

ハ　重包装袋用原反

ニ　HMHDPEレジ袋用原反

11　押出機のシリンダ内面とスクリューフライト外面の表面硬さに関する記述として、正しいものはどれか。

イ　シリンダ内面の方が硬い。

ロ　スクリューフライト外面の方が硬い。

ハ　シリンダ内面及びスクリューフライト外面は、同じ硬さである。

ニ　使用する樹脂によって表面硬さを決める。

12　ダイロータリに関する記述として、誤っているものはどれか。

イ　他の厚さむらの分散方式に比べて、コストが安い。

ロ　押出機からダイまでの溶融樹脂の流路が、長くなる。

ハ　使用するダイは、ボトムフィードダイに限られる。

ニ　厚さむらの分散方式としては、最も有効である。

［B群（多肢択一法）］

13　シリンダ等の温度調節に用いられる制御方式に関する記述として、誤っているものはどれか。

イ　二位置制御は、ハンチングを起こしやすい。
ロ　比例制御は、オーバーヒートを起こしやすい。
ハ　PID制御は、オフセットを自動的に修復して正しい制御を行う。
ニ　複合制御は、加熱と冷却の制御を行う。

14　中心軸駆動巻取機において、下図のうち、タッチロールの配置と巻取りの回転方向との組合せが適切なものはどれか。

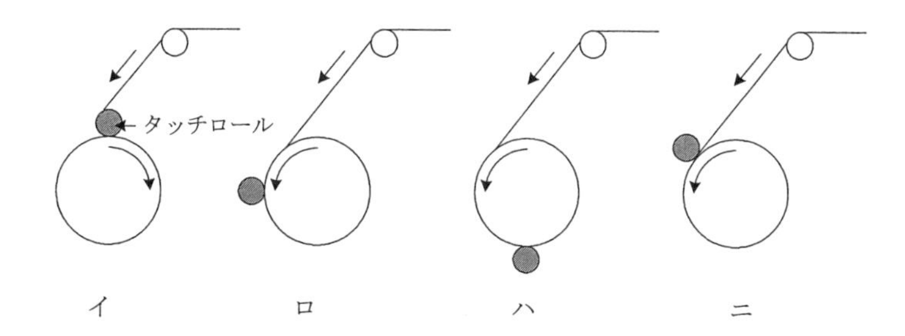

15　センタードライブワインダに関する記述として、誤っているものはどれか。

イ　駆動モータの変速範囲は、引取機用モータと同程度である。
ロ　駆動モータは、紙管軸を駆動している。
ハ　細かい張力調整が可能である。
ニ　タッチロールを使用している。

16　次のスクリューデザイン上の各部の寸法のうち、押出量に最も影響を及ぼすものはどれか。

イ　供給部の溝深さ
ロ　供給部の長さ
ハ　計量部の溝深さ
ニ　計量部の長さ

17　HMHDPEフィルム用のバブル振れ止めとして、次のうち、最も優れているものはどれか。

イ　角材の井桁式
ロ　アイリスリング
ハ　かご型(ロール又はコロ使用)
ニ　ワイヤ式アイリスリング

［B群（多肢択一法）］

18 MFRに関する記述として、誤っているものはどれか。

イ MFRは、一定温度、一定荷重下での一定時間当たりの押出量を示す。

ロ MFRは、樹脂の溶融時の流れやすさを示す。

ハ PEのMFRの測定温度は、190℃である。

ニ MFRの大きい樹脂は、分子量が大きい。

19 PEの密度が高くなることによるフィルムの性質の変化に関する記述として、誤っているものはどれか。

イ 腰が強くなる。

ロ 軟化温度が高くなる。

ハ ガス透過度が大きくなる。

ニ 透明性が悪くなる。

20 PEフィルムの衝撃強さに関する記述として、誤っているものはどれか。

イ LDPEフィルムの衝撃強さは、MFRの大きい方が強い。

ロ LDPEフィルムの衝撃強さは、密度の低い方が強い。

ハ LLDPEフィルムの衝撃強さは、コモノマーの種類により大きく影響される。

ニ LLDPEフィルムの衝撃強さは、測定温度に影響される。

21 プラスチックフィルムの種類と特徴の組合せとして、誤っているものはどれか。

	[種類]	[特徴]
イ	HDPEフィルム	水蒸気バリヤー性に優れる。
ロ	EVOHフィルム	酸素バリヤー性に優れる。
ハ	PAフィルム	水蒸気バリヤー性に優れる。
ニ	PVDCフィルム	酸素バリヤー性に優れる。

22 文中の(　　)内に当てはまる語句として、適切なものはどれか。

PVCフィルムは、(　　)の量を変えることにより、硬質フィルムから軟質フィルムまで造ることができる。

イ 滑剤

ロ 安定剤

ハ 可塑剤

ニ 帯電防止剤

23 補助材料とその効果の組合せとして、誤っているものはどれか。

	[補助材料]	[効果]
イ	酸化防止剤	樹脂の酸化劣化を防ぐ。
ロ	防曇剤	フィルムがすりきずで曇るのを防ぐ。
ハ	帯電防止剤	静電気によるごみや粉などの付着を防ぐ。
ニ	滑剤	フィルムの滑り性を改良する。

［B群（多肢択一法）］

24　フィルムの光学特性に関する記述として、正しいものはどれか。

イ　フィルムの光沢性は、グロスの値が小さい方がよい。

ロ　フィルムの透明性は、ヘイズの値が小さい方がよい。

ハ　LDPEの透明性は、MFRが小さい方がよい。

ニ　LLDPEの透明性は、徐冷した方がよい。

25　日本産業規格(JIS)によれば、半径15mmの円弧を表す寸法の記入方法として、正しいものはどれか。

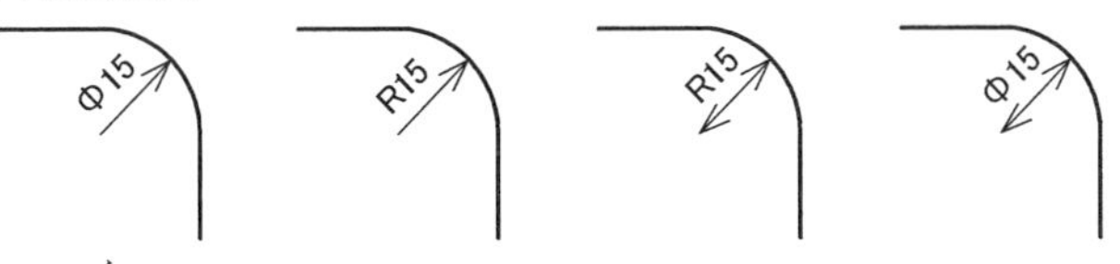

令和４年度技能検定

２級 プラスチック成形 学科試験問題

（インフレーション成形作業）

1. 試験時間　1時間40分
2. 問題数　50題(A群25題、B群25題)
3. 注意事項

(1)　係員の指示があるまで、この表紙はあけないでください。

(2)　答案用紙(真偽法と多肢択一法の併用)に検定職種名、作業名、級別、受検番号、氏名を必ず記入してください。

(3)　係員の指示に従って、問題数を確かめてください。それらに異常がある場合は、黙って手を挙げてください。問題はA群(真偽法)とB群(多肢択一法)とに分かれています。

(4)　試験開始の合図で始めてください。

(5)　解答の方法(真偽法と多肢択一法の併用)は次のとおりです。

イ.　A群の問題(真偽法)は、一つ一つの問題の内容が正しいか、誤っているかを判断して解答してください。

ロ.　B群の問題(多肢択一法)は、正解と思うものを一つだけ選んで、解答してください。二つ以上に解答した場合は誤答となります。

ハ.　答案用紙(マークシート用紙)へ解答する際は、答案用紙に記載されている注意事項に従ってください。

ニ.　答案用紙の解答欄は、A群の問題とB群の問題とでは異なります。所定の解答欄に、試験問題の題数に応じて解答してください。解答欄はA群は50題まで、B群は25題まで解答できるようになっています。

(6)　電子式卓上計算機その他これと同等の機能を有するものは、使用してはいけません。

(7)　携帯電話、スマートフォン、ウェアラブル端末等は、使用してはいけません。

(8)　試験中、質問があるときは、黙って手を挙げてください。ただし、試験問題の内容、漢字の読み方等に関する質問にはお答えできません。

(9)　試験終了時刻前に解答ができあがった場合は、黙って手を挙げて、係員の指示に従ってください。

(10)　試験中に手洗いに立ちたいときは、黙って手を挙げて、係員の指示に従ってください。

(11)　試験終了の合図があったら、筆記用具を置き、係員の指示に従ってください。

［A群（真偽法）］

1 一般に、押出成形法では、熱硬化性樹脂を成形することはできない。

2 ポリアミドの成形品は、吸水すると衝撃強度が増す。

3 オームの法則によると、電圧が一定ならば、電流は電気抵抗の大きいものほど多く流れる。

4 抜取り検査とは、製品(検査ロット)の中の一部を抜き取って検査し、ロットの合格、不合格を判定する検査方法である。

5 職場の5Sとは、整理、整頓、清掃、清潔、しつけ(習慣化)のことをいう。

6 共押出成形法を用いると、一工程で複合フィルムを成形できる。

7 LDPEのシュリンクフィルムには、一般に、MFRの大きい材料が使用される。

8 LDPEを用い、高ブロー比で成形するときは、引取速度を遅くした方がバブルは安定しやすい。

9 面長の長い第一ピンチロールからエアーが漏れる原因の一つに、ピンチラバーロールの押し過ぎがある。

10 コロナ表面処理のかけ過ぎは、フィルムの滑り性には影響しない。

11 成形中にMFRの大きい樹脂が混入すると、フィッシュアイやゲルの原因となりやすい。

12 LLDPEフィルムの透明性は、バブル冷却エアーの温度を下げると悪くなる。

13 フィルムの折径変動の原因の一つに、押出量の変動がある。

14 インパルスシール方式は、熱収縮しやすいフィルムに適している。

15 チューブ内面が表面処理されている場合、製袋時のヒートシール性が悪くなることがある。

16 一般に、ダイリップギャップは、溶融樹脂粘度が高くなるに従って大きくする。

17 ピンチロールユニットを回転させる方式のロータリー装置としては、連続回転式と反復反転式の2種類がある。

［A群（真偽法）］

18 成形機において、ある加熱区分(ゾーン)の熱電対が外れていると、その加熱区分の温度は上がらない。

19 押出機のスクリューの計量部は、供給部よりも溝深さが浅く、かつ、その溝深さは一定になっている。

20 ポリエチレンの密度が高いほど、フィルムの剛性(腰の強さ)は小さくなる。

21 アイオノマーフィルムは、耐ピンホール性に優れている。

22 日本産業規格(JIS)の成形用及び押出用のポリプロピレン材料の試験方法によれば、MFRの測定温度は190℃と規定されている。

23 日本産業規格(JIS)では、包装用ポリエチレンフィルムについて規定している。

24 日本産業規格(JIS)の「機械製図」によれば、図面に記入する長さの寸法数値は、通常はミリメートルの単位で記入し、単位記号は付けない。

25 食品包装用プラスチックフィルムは、食品衛生法関係法令に適合していることが必要である。

［B群（多肢択一法）］

1　インフレーション成形法がTダイ成形法よりも優れている点はどれか。
　イ　ラインスピード
　ロ　肉厚精度
　ハ　縦横の強度バランス
　ニ　透明性

2　ダイ直径100mm、ブロー比2.0のときの折径として、正しいものはどれか。ただし、円周率は3.14とする。
　イ　157mm
　ロ　236mm
　ハ　314mm
　ニ　628mm

3　LDPEを用いたインフレーション成形に関する記述として、正しいものはどれか。
　イ　高ブロー比で引取速度が遅いと、フィルムがブロッキングしやすい。
　ロ　高ブロー比で引取速度が速いと、バブルは蛇行しやすい。
　ハ　低ブロー比で引取速度が速いと、フィルムの折目強度不足となりやすい。
　ニ　低ブロー比で引取速度が遅いと、フィルムの透明性は向上しやすい。

4　バブルの傾きの発生原因として、誤っているものはどれか。
　イ　第一ピンチロール押し圧力の左右の違い。
　ロ　バブル冷却の吹出しエアーが適量でない。
　ハ　エアリングの水平不良。
　ニ　フィルム左右の厚み差が大きい。

5　HMHDPEフィルムの成形において、引取速度を速くしてフィルム厚さを薄くしたときのネック太さの変わり方として、正しいものはどれか。
　イ　太くなる。
　ロ　細くなる。
　ハ　変わらない。
　ニ　太くなることも細くなることもある。

6　文中の下線部のうち、誤っているものはどれか。
　LDPEフィルム成形において、フロストラインが高過ぎるときは、折径が不安定となり（イ）、バブルの脈動が起こりやすく（ロ）、フィルムのブロッキングが発生しやすくなり（ハ）、偏肉が小さくなる。（ニ）

［Ｂ群（多肢択一法）］

7　LDPEの成形操作に関する記述として、厚さむらが生じやすいものはどれか。
　イ　バブル冷却エアー温度を下げる。
　ロ　成形温度を低くする。
　ハ　安定板周辺の温度差を小さくする。
　ニ　ブロアーダンパ開度を小さくする。

8　フィルムが着色むらを起こす原因として、誤っているものはどれか。
　イ　着色混合材料が帯電している。
　ロ　カラーマスターバッチの混合が不均一である。
　ハ　カラーマスターバッチの配合率が高い。
　ニ　フィルムの偏肉が大きい。

9　フィルムがブロッキングを起こす原因として、誤っているものはどれか。
　イ　表面処理のかけ過ぎ
　ロ　バブルの冷却不足
　ハ　ピンチロールの低過ぎ
　ニ　樹脂温度の低過ぎ

10　スクリューデザインの基本形の構成にないものはどれか。
　イ　供給部
　ロ　圧縮部
　ハ　混練部
　ニ　計量部

11　フィルム耳端を制御する付属機器はどれか。
　イ　エッジポジションコントロール
　ロ　チューブ折径制御装置
　ハ　ブレンダー
　ニ　ペレタイザー

12　成形時に使用するエキスパンダーロールとして、フラットエキスパンダーロールが適さないものはどれか。
　イ　LLDPEラミネート用フィルム
　ロ　LLDPEマルチフィルム
　ハ　HDPE養生フィルム
　ニ　LLDPE重包装用フィルム

［B群（多肢択一法）］

13 小型押出機における各ベアリングへの給油に関する記述として、正しいものはどれか。

イ 給油を必要としないベアリングが使用されている。

ロ 歯車の回転により、飛沫状にまき散らして給油している。

ハ 減速機内部で、配管し給油している。

ニ 減速機内へ、レベルマークを超えてオイルを入れている。

14 スパイラルダイに関する記述として、誤っているものはどれか。

イ 800mm以上の大型ダイでは、一般に、ダイリップの直径の方がマンドレルの外径よりも大きい。

ロ 50mm以下の小型ダイでは、一般に、ダイリップの直径の方がマンドレルの外径よりも小さい。

ハ ダイリップの直径は、常にマンドレルの外径と同じである。

ニ スパイラル溝の条数は、マンドレルの外径によって変わる。

15 文中の下線部のうち、誤っているものはどれか。

自動反転巻取機、チューブ折径制御装置、平均厚さ制御装置が組み込まれている装置では、製品の折径（イ）、巻取り長さ（ロ）、質量（ハ）、偏肉（ニ）が自動的に制御できる。

16 温度制御方式の特徴に関する記述として、誤っているものはどれか。

イ 2位置制御は、ハンチングを起こしやすい。

ロ 比例制御は、オフセットを起こしやすい。

ハ PI制御は、オフセットを解消する。

ニ PID制御は、オーバーヒートを起こしやすい。

17 スクリューの耐腐食性を維持するために一般的に行われている表面処理方法として、適切なものはどれか。

イ 硬質クロムめっき

ロ 窒化処理

ハ 焼入処理

ニ 特殊合金の盛り金

18 LDPEと比較したポリプロピレンフィルムの特性として、正しいものはどれか。

イ 透明性が劣る。

ロ 腰が強い。

ハ 耐熱性が劣る。

ニ 防湿性が劣る。

［Ｂ群（多肢択一法）］

19 EVAフィルムの用途として、誤っているものはどれか。

イ　スキンパッケージ
ロ　レトルト食品包材
ハ　農業用フィルム
ニ　重包装袋

20 補助材料の添加方法において、マスターバッチ法がドライブレンド法よりも優れている点として、誤っているものはどれか。

イ　補助材料の分散が良好である。
ロ　ペレット同士の混合のため分級しにくい。
ハ　コスト面で有利である。
ニ　ブレンドするのに取り扱いやすい。

21 ポリエチレンの密度が高くなることによるフィルムの性質の変化として、誤っているものはどれか。

イ　降伏点応力が大きくなる。
ロ　軟化温度が高くなる。
ハ　透湿度が上がる。
ニ　透明性が悪くなる。

22 ヒートシール性に関する記述として、誤っているものはどれか。

イ　LLDPEフィルムは、ホットタック性に優れている。
ロ　EVAフィルムは、低温ヒートシール性に優れている。
ハ　OPPは、熱板シールが容易である。
ニ　HMHDPEフィルムは、シール強度に優れている。

23 フィルム物性や樹脂物性に関する記述として、誤っているものはどれか。

イ　フィルムを延伸すると、透明性が良くなる。
ロ　溶融粘度の小さい方が、衝撃強さが大きい。
ハ　LDPEの密度が高くなると、融点も高くなる。
ニ　LDPEでは、分子量の小さい方が、薄肉成形性が良い。

24 文中の下線で示す部分のうち、誤っているものはどれか。

ポリプロピレンフィルムには、下向水冷インフレーション法で成形される
イ
IPP、Tダイ法で成形されるCPP、チューブラー法で成形されるIOP及び
ロ　ハ
一軸延伸法で成形されるOPPがある。
ニ

［B群（多肢択一法）］

25 日本産業規格(JIS)の「機械製図」で規定されている線の種類として、誤っているものはどれか。

イ　太い実線
ロ　細い一点鎖線
ハ　太い二点鎖線
ニ　細い実線

令和３年度 技能検定
２級 プラスチック成形 学科試験問題
(インフレーション成形作業)

1. 試験時間　1時間40分
2. 問題数　50題(A群25題、B群25題)
3. 注意事項
   (1) 係員の指示があるまで、この表紙はあけないでください。
   (2) 答案用紙(真偽法と多肢択一法の併用)に検定職種名、作業名、級別、受検番号、氏名を必ず記入してください。
   (3) 係員の指示に従って、問題数を確かめてください。それらに異常がある場合は、黙って手を挙げてください。問題はA群(真偽法)とB群(多肢択一法)とに分かれています。
   (4) 試験開始の合図で始めてください。
   (5) 解答の方法(真偽法と多肢択一法の併用)は次のとおりです。
      イ．A群の問題(真偽法)は、一つ一つの問題の内容が正しいか、誤っているかを判断して解答してください。
      ロ．B群の問題(多肢択一法)は、正解と思うものを一つだけ選んで、解答してください。二つ以上に解答した場合は誤答となります。
      ハ．答案用紙(マークシート用紙)へ解答する際は、答案用紙に記載されている注意事項に従ってください。
      ニ．答案用紙の解答欄は、A群の問題とB群の問題とでは異なります。所定の解答欄に、試験問題の題数に応じて解答してください。解答欄はA群は50題まで、B群は25題まで解答できるようになっています。
   (6) 電子式卓上計算機その他これと同等の機能を有するものは、使用してはいけません。
   (7) 携帯電話、スマートフォン、ウェアラブル端末等は、使用してはいけません。
   (8) 試験中、質問があるときは、黙って手を挙げてください。ただし、試験問題の内容、漢字の読み方等に関する質問にはお答えできません。
   (9) 試験終了時刻前に解答ができあがった場合は、黙って手を挙げて、係員の指示に従ってください。
   (10) 試験中に手洗いに立ちたいときは、黙って手を挙げて、係員の指示に従ってください。
   (11) 試験終了の合図があったら、筆記用具を置き、係員の指示に従ってください。

［A群（真偽法）］

1 成形法、特徴及び成形品名の組合せは正しい。

［成形法］	［特　徴］	［成形品名］
押出成形	一定断面形状のものを連続生産できる	パイプ

2 熱可塑性樹脂は、一般に、熱硬化性樹脂よりも、耐熱性、耐溶剤性に優れている。

3 消費電力500Wの装置を200Vで使用した場合は、5Aの電流が装置に流れる。

4 抜取検査とは、製品の中からサンプルを抜き取って検査することをいう。

5 労働安全衛生法関係法令では、作業場の明るさ(照度)について、基準は定めていない。

6 高密度ポリエチレンフィルムは、防湿性を必要とする包装材に適している。

7 インフレーション成形法は、Tダイフィルム成形法よりも、縦、横のバランスのとれたフィルムの成形が容易である。

8 LLDPEフィルムの縦横の強度バランスは、一般に、ブロー比を大きくするとよくなる。

9 LDPEのインフレーション成形において、ブロッキングしフィルムの滑り不足が生じたので、フロストラインを上げるように調整した。

10 インフレーション成形において、材料の切り替えを順調に行うためには、MFRの小さいものから先に成形するとよい。

11 LDPEのインフレーション成形において、ピンチロールの左右の押し圧力が異なるとバブルは圧力が弱い方に傾く。

12 スクリーンパックの目詰まりがおきると、巻きぶれとして現れる。

13 LDPEフィルムの縦裂けを改善する一つの方法として、樹脂温度を上げることがある。

14 ドライラミネート加工では、接着剤を使用しない。

15 表面処理を行ったLDPEフィルムは、処理しないフィルムよりもヒートシール性が向上する。

16 ダイリップギャップは、材料の種類によっては変える必要がある。

［A群（真偽法）］

17　LLDPE用スクリューの圧縮比は、一般に、LDPE用スクリューよりも大きい。

18　押出機にブレーカプレートを使用する主な目的は、押出圧力を上げ、溶融樹脂の練りをよくすることである。

19　2位置制御方式温度調節計における温度のハンチングを防止するためには、比例制御方式を用いるとよい。

20　アイオノマーは、吸湿しやすい樹脂である。

21　PPフィルムは、LDPEフィルムよりも、剛性(腰の強さ)が小さい。

22　日本産業規格(JIS)によれば、Tダイフィルムは、T字型のダイ(型)からシート状に押出成形したフィルムである。

23　日本産業規格(JIS)によると、包装用PEフィルムの厚さ測定用のダイヤルゲージは、0.001mmの目盛を有するものでなければならない。

24　日本産業規格(JIS)によれば、メートルねじの記号は、Rで表す。

25　家庭用品品質表示法関係法令によれば、ポリエチレンフィルム製の袋(フィルムの厚さが0.05mm以下で、かつ、個装の単位が100枚未満のものに限る。)は、品質に関して表示すべき事項が定められている。

［B群（多肢択一法）］

1 インフレーションフィルム成形法とフィルムの用途の組合せとして、誤っているものはどれか。

	[成形法]	[用途]
イ	PPの下向き水冷インフレーション成形	衣料包装袋
ロ	HMHDPEのハイネック高ブロー比成形	砂糖袋
ハ	EVAの広幅成形	農業用フィルム
ニ	LLDPEの厚物成形	肥料袋

2 バブル直径を求める計算式として、正しいものはどれか。
- イ バブル直径＝折径×2÷π
- ロ バブル直径＝折径×π÷2
- ハ バブル直径＝折径×π×2
- ニ バブル直径＝折径÷π÷2

3 ダイリップ径200mm、折径628mmのときのブロー比として、正しいものはどれか。ただし、円周率は3.14とする。
- イ 1.0
- ロ 2.0
- ハ 3.0
- ニ 4.0

4 押出しむらを発生させる原因とならないものはどれか。
- イ 押出機メインモータの回転速度変動
- ロ 押出機ターンテーブルロータリ装置の回転不均一
- ハ 押出樹脂圧力の変動
- ニ 押出樹脂温度の大きいハンチング

5 成形中にフロストラインが低くなるものはどれか。
- イ 押出樹脂量を増加した。
- ロ 冷却エア温度を高くした。
- ハ 冷却エア量を少なくした。
- ニ 押出樹脂温度を低くした。

6 コロナ表面処理に関する記述として、誤っているものはどれか。
- イ 放電エアーギャップは、3mm以内が望ましい。
- ロ 処理ロールの抱き込み角度は、80°が望ましい。
- ハ 電極がオゾンにより酸化し、処理効果を阻害することがある。
- ニ 均一放電になりにくい原因として、処理ラバーロールの肉厚差がある。

［B群（多肢択一法）］

7　LDPEの成形において、バブル切れの発生原因にならないものはどれか。

イ　ピンチロールが高すぎる。

ロ　成形樹脂温度が低すぎる。

ハ　フロストラインが低すぎる。

ニ　バブルの変形が大きすぎる。

8　フィルムの肌あれを改善する方法として、適切なものはどれか。

イ　ダイリップ部の温度を下げる。

ロ　ダイリップギャップを広くする。

ハ　押出量を増やす。

ニ　樹脂温度を低くする。

9　縦裂けの発生原因として、当てはまらないものはどれか。

イ　ブロー比が小さい。

ロ　押出機で混練が不足している。

ハ　ダイリップギャップが広い。

ニ　引取速度が遅過ぎる。

10　スクリューのL／Dとして、正しいものはどれか。

イ　スクリューの全長とスクリュー外径との比

ロ　スクリューの有効長さとスクリュー外径との比

ハ　メタリング部の長さと外径の比

ニ　メタリング部の長さと谷径の比

11　長尺巻サーフェースワインダに関する記述として、誤っているものはどれか。

イ　巻き上がりロールは、駆動ロールで駆動している。

ロ　巻取り中の駆動ロール回転速度は、ほぼ一定である。

ハ　最大巻取径は、1m以上も可能である。

ニ　製品質量は、主に駆動ロールが受けている。

12　HMHDPEフィルムの成形に適している安定板はどれか。

イ　べた板式安定板

ロ　木製横さん式安定板

ハ　ロール式安定板

ニ　コロ式安定板

13　湾曲型エキスパンダロールの記述として、誤っているものはどれか。

イ　薄くてのびやすいフィルムでは、フィルムの平板性を損なうことがある。

ロ　フィルムの抱き込み角度は、30～50度が好ましい。

ハ　フラットエキスパンダロールよりもフィルム幅方向の展開効果が大きい。

ニ　エキスパンダロール直後のガイドロールは、できるだけ遠くに設置する。

［B群（多肢択一法）］

14 減速機オイルの交換又はろ過の時期として、一般的なものはどれか。
　イ　1～2年ごと
　ロ　8～10年ごと
　ハ　定期的にサンプリング点検し、汚れていたとき
　ニ　異常音が発生したとき

15 スクリューでの発熱を減らすためのメタリング部における方法として、最適なものはどれか。
　イ　長さを長くする。
　ロ　長さを短くする。
　ハ　溝深さを深くする。
　ニ　溝深さを浅くする。

16 押出機の減速機からの異常音発生の原因として、関係のないものはどれか。
　イ　軸受ベアリングの傷つき
　ロ　スラストベアリングの傷つき
　ハ　オイルシールの傷つき
　ニ　歯車の歯面の傷つき

17 LLDPEフィルム成形用のバブル振れ止めとして、最も適していないものはどれか。
　イ　角材の井桁式
　ロ　アイリスリング
　ハ　かご型(ロール又はコロ使用)
　ニ　ワイヤ式アイリスリング

18 PEの密度が高くなることによるフィルム物性の変化に関する記述として、誤っているものはどれか。
　イ　ヘイズの値が大きくなる。
　ロ　防湿性が低くなる。
　ハ　腰が強くなる。
　ニ　融点が高くなる。

19 LDPEの密度が高くなった時の物性の変化として、誤っているものはどれか。
　イ　降伏強さが大きくなる。
　ロ　衝撃強さが大きくなる。
　ハ　引張弾性率が大きくなる。
　ニ　融点が高くなる。

［B群（多肢択一法)］

20　HDPEフィルムに関する記述として、誤っているものはどれか。

イ　ブロッキングしにくいのは、アンチブロッキング剤が添加されているからである。

ロ　たるみが発生しやすいのは、結晶化速度が大きいためである。

ハ　白っぽく見えるのは、フィルムの表面が荒れているからである。

ニ　PEの中で、最も耐熱性に優れている。

21　フィルム物性や樹脂物性に関する記述として、誤っているものはどれか。

イ　フィルムを延伸すると、透明性がよくなる。

ロ　溶融粘度の小さい方が、衝撃強さが大きい。

ハ　LDPEの密度が高くなると、融点も高くなる。

ニ　LDPEでは、分子量の小さい方が、薄肉成形性がよい。

22　樹脂のMFRに関する記述として、誤っているものはどれか。

イ　MFRの小さい方が分子量が大きい。

ロ　MFRの大きい方が引張り強さが大きい。

ハ　MFRの大きい方が流動性が良い。

ニ　MFRの測定温度は、PEとPPでは異なる。

23　EVAフィルムの特徴として、誤っているものはどれか。

イ　酢酸ビニル含有量が増加するに従って柔軟となる。

ロ　耐寒性が優れている。

ハ　焼却すると塩素系ガスが発生する。

ニ　酢酸ビニル含有量が多いとブロッキングしやすい。

24　補助材料の添加方法において、マスターバッチ法がドライブレンド法よりも広く利用されている理由として、誤っているものはどれか。

イ　補助材料の分散が良好である。

ロ　主材料と分離しにくい。

ハ　空気による搬送が可能である。

ニ　コスト面で有利である。

25　文中の下線部のうち、誤っているものはどれか。

図面は、いろいろな大きさのものが実物とは異なった大きさで描かれているが、この大きさの割合を尺度といい、日本産業規格(JIS)による尺度には、<u>縮尺</u>(イ)、<u>現尺</u>(ロ)、<u>実尺</u>(ハ)、<u>倍尺</u>(ニ)がある。

令和5年度技能検定

1級 プラスチック成形 学科試験問題

（インフレーション成形作業）

1. 試験時間　1時間40分
2. 問題数　50題(A群25題、B群25題)
3. 注意事項

(1) 係員の指示があるまで、この表紙はあけないでください。

(2) 答案用紙(真偽法と多肢択一法の併用)に検定職種名、作業名、級別、受検番号、氏名を必ず記入してください。

(3) 係員の指示に従って、問題数を確かめてください。それらに異常がある場合は、黙って手を挙げてください。問題はA群(真偽法)とB群(多肢択一法)とに分かれています。

(4) 試験開始の合図で始めてください。

(5) 解答の方法(真偽法と多肢択一法の併用)は次のとおりです。

イ． A群の問題(真偽法)は、一つ一つの問題の内容が正しいか、誤っているかを判断して解答してください。

ロ． B群の問題(多肢択一法)は、正解と思うものを一つだけ選んで、解答してください。二つ以上に解答した場合は誤答となります。

ハ． 答案用紙(マークシート用紙)へ解答する際は、答案用紙に記載されている注意事項に従ってください。

ニ． 答案用紙の解答欄は、A群の問題とB群の問題とでは異なります。所定の解答欄に、試験問題の題数に応じて解答してください。解答欄はA群は50題まで、B群は25題まで解答できるようになっています。

(6) 電子式卓上計算機その他これと同等の機能を有するものは、使用してはいけません。

(7) 携帯電話、スマートフォン、ウェアラブル端末等は、使用してはいけません。

(8) 試験中、質問があるときは、黙って手を挙げてください。ただし、試験問題の内容、漢字の読み方等に関する質問にはお答えできません。

(9) 試験終了時刻前に解答ができあがった場合は、黙って手を挙げて、係員の指示に従ってください。

(10) 試験中に手洗いに立ちたいときは、黙って手を挙げて、係員の指示に従ってください。

(11) 試験終了の合図があったら、筆記用具を置き、係員の指示に従ってください。

［A群（真偽法）］

1 次の成形法と用語の組合せは、いずれも正しい。

	[成形法]	[用語]
(1)	カレンダー成形	金型
(2)	ブロー成形	パリソン
(3)	真空成形	厚さ分布
(4)	インフレーション成形	サーキュラーダイ

2 PEは、一般に、低温時における衝撃強さが、PPよりも劣る。

3 Rオームの抵抗にIアンペアの直流電流を流した場合、電力Wは下記の式で表される。

$$W = R \times I^2$$

4 *np* 管理図は、検査個数が一定でない場合、不良率で管理するときに用いられる。

5 粉末消火器には、普通火災用、油火災用及び電気火災用があり、それぞれ黄色、白色、青色の下地色で表示される。

6 IPPフィルムの成形では、水冷リングを用いてバブルを冷却するため、エアーリングは使用しない。

7 EVOHとLLDPEを用いて、共押出成形法で成形した2層フィルムは、十分な接着強度を有している。

8 HDPEフィルムにたるみが生じる原因の一つに、安定板とバブルが接触している部分と接触していない部分のバブルの冷却差がある。

9 コロナ放電による表面処理度は、一般に、フィルムの単位面積当たりの放電電力に左右される。

10 ダイリップギャップに対して、ランド長が長いダイを使用すると、フィルムに肌あれが生じることがある。

11 カラーマスターバッチの配合率を極少なくした場合に着色むらが発生するとき、同じ色の濃さにするには、濃度がより低いカラーマスターバッチを使用した方がよい。

12 巻取り時にフィルムが帯電していると、巻きぶれの原因となることがある。

13 アイオノマーフィルムの成形において、フィルムに気泡が生じる原因の一つとして、材料のアイオノマーが吸湿していたことが考えられる。

［A群（真偽法）］

14　ドライラミネート法は、溶媒に溶かした接着剤を基材フィルムに塗布し、乾燥オーブン内で溶媒を蒸発させてから、他の基材を貼り合わせる方法である。

15　フィルムのコロナ放電処理の処理度は、一般に、湿度が低いときよりも高いときの方が向上する。

16　HMHDPEフィルムをチューブ状で巻き取る場合は、湾曲型エキスパンダロールよりも、フラット型エキスパンダロールの方が適している。

17　ダイロータリユニットは、一般に、常にダイが一定方向に回転するものと、ある角度の範囲だけを反復するものの二つのタイプに大別できる。

18　溶融粘度の高い樹脂に使用するダイには、ダイリップギャップが狭いものが適している。

19　スクリューの圧縮比(CR)は、供給部と計量部それぞれの1ピッチ当たりの溝の容積比である。

20　LLDPEフィルムは、LDPEフィルムよりも突き刺し強度に優れている。

21　LDPEフィルムの透明性は、一般に、樹脂のMFRが小さいほどよい。

22　日本産業規格(JIS)によれば、包装用PEフィルムにおける衝撃強さの試験方法が規定されている。

23　日本産業規格(JIS)によれば、PPフィルム及びPEフィルムの表面処理の試験方法として、「インキはく離試験」及び「ぬれ張力試験」の二つが規定されている。

24　機械図面に示される尺度とは、図面上の寸法と実物の寸法の比のことである。

25　家庭用品品質表示法関係法令では、PEフィルム製品において、ある一定の基準を満たす場合、品質に関し表示すべき事項として、耐冷温度が定められている。

［B群（多肢択一法)］

1　下向き水冷インフレーションフィルムの特徴として、誤っているものはどれか。
　イ　急冷されるのでフィルムの透明性がよい。
　ロ　溶融張力の小さい樹脂の成形にも適用される。
　ハ　サイズ変更が容易である。
　ニ　同一樹脂の空冷フィルムに比べ、柔軟なフィルムとなる。

2　インフレーション成形の再ブローに関する記述として、誤っているものはどれか。
　イ　チューブ内面の空気接触によって、滑剤がブリードしやすくなる。
　ロ　薄物フィルムの場合、しわの発生を抑える効果がある。
　ハ　チューブの折り目に、意図のない新たな折り目をつくることがある。
　ニ　チューブの開口性が良くなる。

3　次の成形条件のうち、フィルムの物性に影響しない組合せはどれか。
　イ　ブロー比の大小とフロストライン高さ
　ロ　ブロー比の大小と引取速度
　ハ　ブロー比の大小と冷却風量
　ニ　ブロー比の大小と巻取張力

4　LDPEフィルムの成形において、一般に、バブルが振動を起こす原因とならないものはどれか。
　イ　樹脂温度が高過ぎること。
　ロ　バブル引取速度が速過ぎること。
　ハ　バブル冷却エア吹出し角度が適正でないこと。
　ニ　バブル冷却エア量が多過ぎること。

5　フィルムの肌あれの原因に関する記述として、適切でないものはどれか。
　イ　ダイランド部の温度が低い。
　ロ　ダイリップギャップが広い。
　ハ　押出機での混練が不足している。
　ニ　樹脂温度が低い。

6　横方向の偏肉の発生原因として、誤っているものはどれか。
　イ　スクリーンパックの破損(穴あき)
　ロ　押出樹脂量の変動
　ハ　バブル周辺の温度差
　ニ　バブルの傾き

［B群（多肢択一法）］

7　コロナ放電処理において、フィルムに処理むらが発生する原因として、誤っているものはどれか。
　イ　放電電極の変形
　ロ　処理ロールラバーの厚さむら
　ハ　ガイドロールの回転むら
　ニ　処理ロールの偏芯回転

8　LDPEフィルムにおける折目強度不足の原因に該当しないものはどれか。
　イ　ピンチラバーロール硬度の低過ぎ
　ロ　成形温度の低過ぎ
　ハ　ブロー比が小さく、引取速度の速過ぎ
　ニ　ピンチラバーロールの押圧力の強過ぎ

9　LDPEフィルムの縦裂けを改善する方法として、適切なものはどれか。
　イ　リップギャップを広くする。
　ロ　成形樹脂温度を高くする。
　ハ　引取速度を速くする。
　ニ　フロストラインを低くする。

10　押出機のモータがオーバーロードになった場合の対策として、誤っているものはどれか。
　イ　減速機側プーリーの直径を大きくする。
　ロ　設定温度を高くする。
　ハ　モータ側プーリーの直径を大きくする。
　ニ　スクリュー回転速度を下げる。

11　次の製品と巻取機の組合せのうち、適切でないものはどれか。

	[製品]	[巻取機]
イ	LLDPE規格袋原反	センタードライブワインダー
ロ	PPクリーニング袋用原反	かせ巻取機
ハ	農業用フィルム	短尺巻サーフェスワインダー
ニ	LLDPEシーラントフィルム	長尺巻サーフェスワインダー

12　次のうち、押出機のスラストベアリングの寿命が長くなるものはどれか。
　イ　スクリューの回転速度を上げる。
　ロ　ダイ・押出機の設定温度を下げる。
　ハ　使用する樹脂を、LDPEからLLDPEへ変更する。
　ニ　減速機入力軸のプーリー直径を大きくする。

［Ｂ群（多肢択一法）］

13　PE用スパイラルダイの樹脂通過部に、硬質クロムめっきを施す主な目的として、次のうち最も適切なものはどれか。

　イ　樹脂圧力損失の低減
　ロ　表面摩擦の低下
　ハ　樹脂による腐食対策
　ニ　溶融樹脂の焼付き防止

14　スクリュー外径が摩耗したときの状況として、一般に、適切でないものはどれか。

　イ　漏えい流が多くなる。
　ロ　推進流が少なくなる。
　ハ　押出量が少なくなる。
　ニ　溶融樹脂温度が低くなる。

15　面長の大きい第1ピンチラバーロールにクラウンを付ける目的として、正しいものはどれか。

　イ　ロール全幅に均一な線圧力が発生するようにする。
　ロ　ラバーロールのたわみを少なくする。
　ハ　スチールロールのたわみを少なくする。
　ニ　ラバーロールの摩耗を少なくする。

16　次の記述中の下線部のうち、誤っているものはどれか。

　一般に、LLDPE成形用の押出機は、同程度のMFRのLDPE用の押出機に比べて、スクリュー計量部の溝深さは深く（イ）、圧縮比は小さく（ロ）、スラストベアリングの容量は大きく（ハ）、スクリューの最高回転速度は速い（ニ）。

17　厚さむら位置を分散させるロータリ方式における、第1ピンチロール360°全連続回転装置に関する記述として、誤っているものはどれか。

　イ　巻取機及び引取機は、共にターンテーブルにのっている。
　ロ　押出機からダイまでの溶融樹脂流路が、長くなる。
　ハ　製品の取出しに工夫を要する。
　ニ　バブル周辺の温度むらに左右されずに製品を作ることができる。

18　フィルムの光学特性に関する記述として、誤っているものはどれか。

　イ　透明性は、ヘイズの値が小さい方がよい。
　ロ　光沢性は、グロスの値が小さい方がよい。
　ハ　透明性は、表面の粗さに左右される。
　ニ　クラリティーは、フィルムを通してものを見たとき、像の鮮明度を示す指数である。

［Ｂ群（多肢択一法）］

19 IPPフィルムの特徴として、誤っているものはどれか。
　イ　耐熱性は、HDPEフィルムよりも優れている。
　ロ　ヒートシール強度は、LLDPEフィルムよりも優れている。
　ハ　透明性は、LLDPEの空冷インフレーションフィルムよりも優れている。
　ニ　ガスバリヤー性は、PAフィルムよりも劣っている。

20 フィルム用材料に関する記述として、正しいものはどれか。
　イ　LDPEの弾性率は、密度が低い方が高い。
　ロ　ホットタック性を必要とする分野には、LLDPEは適さない。
　ハ　衝撃強度を重視する重包装袋用には、分子量の小さい樹脂が適する。
　ニ　密度が同じときは、LLDPEの方がLDPEよりも融点は高い。

21 フィルムの光学特性に関する記述として、誤っているものはどれか。
　イ　LLDPEを徐冷するとヘイズの値が大きくなる。
　ロ　インフレーション法では、水冷法の方が空冷法よりも透明性がよい。
　ハ　LDPEのヘイズの値は、表面の凹凸が大きく関係している。
　ニ　HDPEが不透明な理由は、球晶が成長せず小さいためである。

22 プラスチックの性質の説明として、誤っているものはどれか。
　イ　ホットタック性・・・シール時の熱間剥離強さ
　ロ　衝撃強さ・・・・・・変形速度が極めて大きい動的強さ
　ハ　ガスバリヤー性・・・気体をよく透過する性質
　ニ　耐スクラッチ性・・・フィルム表面の傷付きにくさ

23 プラスチックフィルムの特徴に関する記述として、誤っているものはどれか。
　イ　PVDCフィルムのガスバリヤー性は、高湿度で悪化しやすい。
　ロ　アイオノマーフィルムは、耐油性に優れる。
　ハ　PVAフィルムは、静電気によるほこりが付きにくい。
　ニ　PVCフィルムは、可塑剤の量により、硬質フィルムと軟質フィルムがある。

24 樹脂のMFRに関する記述として、誤っているものはどれか。
　イ　MFRの小さい方が、分子量が大きい。
　ロ　MFRの大きい方が、引張強さが大きい。
　ハ　MFRの大きい方が、流動性が良い。
　ニ　MFRの測定温度は、ポリエチレンとポリプロピレンでは異なる。

［B群（多肢択一法）］

25　日本産業規格(JIS)に定める投影法の「第三角法」において、下図の正面図をA図とした場合、それに対する底面図として、正しいものはどれか。

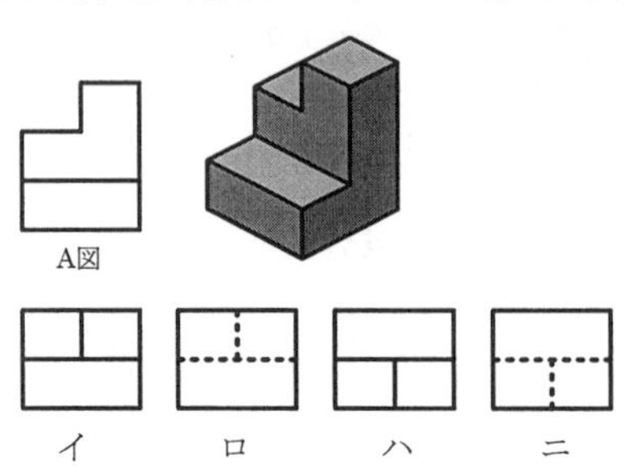

令和４年度技能検定
１級 プラスチック成形 学科試験問題
（インフレーション成形作業）

1. 試験時間　1時間40分
2. 問題数　50題(A群25題、B群25題)
3. 注意事項
   (1) 係員の指示があるまで、この表紙はあけないでください。
   (2) 答案用紙(真偽法と多肢択一法の併用)に検定職種名、作業名、級別、受検番号、氏名を必ず記入してください。
   (3) 係員の指示に従って、問題数を確かめてください。それらに異常がある場合は、黙って手を挙げてください。問題はA群(真偽法)とB群(多肢択一法)とに分かれています。
   (4) 試験開始の合図で始めてください。
   (5) 解答の方法(真偽法と多肢択一法の併用)は次のとおりです。
      イ. A群の問題(真偽法)は、一つ一つの問題の内容が正しいか、誤っているかを判断して解答してください。
      ロ. B群の問題(多肢択一法)は、正解と思うものを一つだけ選んで、解答してください。二つ以上に解答した場合は誤答となります。
      ハ. 答案用紙(マークシート用紙)へ解答する際は、答案用紙に記載されている注意事項に従ってください。
      ニ. 答案用紙の解答欄は、A群の問題とB群の問題とでは異なります。所定の解答欄に、試験問題の題数に応じて解答してください。解答欄はA群は50題まで、B群は25題まで解答できるようになっています。
   (6) 電子式卓上計算機その他これと同等の機能を有するものは、使用してはいけません。
   (7) 携帯電話、スマートフォン、ウェアラブル端末等は、使用してはいけません。
   (8) 試験中、質問があるときは、黙って手を挙げてください。ただし、試験問題の内容、漢字の読み方等に関する質問にはお答えできません。
   (9) 試験終了時刻前に解答ができあがった場合は、黙って手を挙げて、係員の指示に従ってください。
   (10) 試験中に手洗いに立ちたいときは、黙って手を挙げて、係員の指示に従ってください。
   (11) 試験終了の合図があったら、筆記用具を置き、係員の指示に従ってください。

［A群（真偽法）］

1 延伸ブロー成形とは、押し出された溶融パリソンの下端をパリソンピンチ装置によってピンチし、下方に引っ張りながらブロー成形する方法をいう。

2 ポリアミドは、ポリエチレンに比べて吸湿性の大きいポリマーである。

3 電気設備に関する技術基準において、電圧は、低圧、高圧及び特別高圧の3つに区分される。

4 パレート図とは、項目別に層別して出現度数の小さい順に棒グラフで示したものをいう。

5 労働安全衛生法関係法令によれば、労働災害とは、労働者の就業に係る建設物、設備、原材料、ガス、蒸気、粉じん等により、又は作業行動その他業務に起因して、労働者が負傷し、疾病にかかり、又は死亡することをいう。

6 PA／接着性樹脂／LLDPEの複合フィルムは、冷凍食品包装用として広く使用されている。

7 IPPフィルムを成形するのに水冷式インフレーション成形法を用いるのは、バブルを急冷することにより結晶構造を変え、透明性を良くするためである。

8 フラットフィルムの製品質量は、次の式で計算される。
　製品質量=厚さ×幅×長さ

9 ジョイント部における溶融樹脂の温度は、一般に、流れに直角の断面で均一である。

10 LDPEフィルムの折目強さ不足を改善するには、成形温度を低くすればよい。

11 PEフィルムは、冷却固化時に結晶が大きくなると、透明性が良くなる。

12 チューブ状のフィルムの口開きを良くするには、アンチブロッキング剤と滑剤を併用するとよい。

13 第一ピンチラバーロールに凹状変形があると、コロナ放電処理により、チューブ状フィルムの内面にブロッキングが発生することがある。

14 銀色の蒸着フィルムは、一般に、アルミニウムを真空容器内で加熱蒸発させ、プラスチックフィルム表面に付着させたものである。

［A群（真偽法）］

15　フレキソ印刷には、凹版タイプの樹脂版が使われている。

16　ダイリップギャップが大きくなると、ダイランド部での溶融樹脂圧力損失は大きくなる。

17　押出機の減速機の伝達馬力は、入力軸回転速度が低くなると小さくなる。

18　共押出多層インフレーション成形では、引取速度変更型平均厚さ制御装置を使用すると各層の層比が一定に保たれる。

19　押出機のスラストベアリングへの給油方式には、飛沫(まつ)給油方式と強制給油方式とがある。

20　LLDPEのホットタック性は、LDPEよりも劣る。

21　LDPEフィルムのアンチブロッキング剤には、一般に、シリカ等の無機物質が使用されている。

22　日本産業規格(JIS)には、食品包装用プラスチックフィルムの酸素ガス透過度が規定されている。

23　日本産業規格(JIS)には、包装用ポリエチレンフィルムの透湿度の試験方法が規定されている。

24　日本産業規格(JIS)によれば、呼びがM10のおねじは、外径が10mmのメートル並目ねじである。

25　容器包装リサイクル法では、事業者及び消費者、国並びに地方公共団体がそれぞれに役割分担することが定められている。

［Ｂ群（多肢択一法）］

1　Tダイ成形法が、インフレーション成形法よりも優れている点はどれか。
　イ　縦横の強度バランス
　ロ　高分子量樹脂の成形
　ハ　透明性の優れたフィルムの成形
　ニ　低温成形

2　LDPEと比較したLLDPEの成形に関する記述として、誤っているものはどれか。
　イ　大きいブロー比で成形する。
　ロ　スクリュー圧縮比を大きくする。
　ハ　ダイリップギャップを大きくする。
　ニ　バブルを急冷する。

3　成形樹脂温度を高めで成形し続けた場合、フィルムに発生しやすい欠陥として、誤っているものはどれか。
　イ　偏肉が大きくなりやすい。
　ロ　ブロッキングを起こしやすい。
　ハ　フィッシュアイが発生しやすい。
　ニ　縦裂けを起こしやすい。

4　ブロー比を変えた場合の成形条件として、一般に、調整を必要としないものはどれか。
　イ　フロストラインの高さ
　ロ　引取速度
　ハ　バブル冷却エアー量
　ニ　成形樹脂温度

5　着色むらの原因とならないものはどれか。
　イ　カラーマスターバッチを高濃度から低濃度に変更
　ロ　カラーマスターバッチの混合不均一
　ハ　押出機の混練不足
　ニ　混合樹脂の密度差による分離

6　フィルムにフィッシュアイが発生する原因とならないものはどれか。
　イ　ダイリップギャップが大きい。
　ロ　MFRの小さい樹脂が混入している。
　ハ　溶融樹脂の流路に一部の樹脂が滞留している。
　ニ　ダイ内が汚れている。

［B群（多肢択一法）］

7　バブルの脈動の発生原因とならないものはどれか。

イ　冷却エアー量の片寄り

ロ　樹脂温度の高過ぎ

ハ　安定板の開き過ぎ

ニ　ピンチロールの回転変動

8　フィルム成形中、しわの発生原因とならないものはどれか。

イ　バブル冷却エアー量の変動

ロ　バブル振れ止め位置不良

ハ　高ブロー比で引取り速度が遅い

ニ　ガイドロールの回転不良

9　LDPE成形において、巻取径差を生じる原因とならないものはどれか。

イ　バブルの冷却むら

ロ　第1ピンチロールの高過ぎ

ハ　安定板周辺の温度差

ニ　バブルの傾きによる偏肉

10　文中の下線部のうち、誤っているものはどれか。

フィルムの厚さむらの位置をずらす方法として、押出機ターンテーブル方式が使用されているが、この方式は、押出機（イ）、ダイ（ロ）、エアーリング（ハ）、バブル周辺の温度差（ニ）等に起因する厚さむらの位置をずらすことができる。

11　ダイロータリー装置に関する記述として、誤っているものはどれか。

イ　ダイ、エアーリングを360°連続回転させる方式と、一定角度で反復回転させるオシレート方式がある。

ロ　溶融樹脂の流路中に回転機構を有するため、溶融樹脂漏れを起こしやすい。

ハ　熱安定性が良くない樹脂の成形に使用することは好ましくない。

ニ　押出機及びダイ、エアーリングによるフィルム厚さむらをフィルム幅方向に分散させて、巻上がりロールの巻径差を改善する。

12　一般に、サーフェスワインダが適さないものはどれか。

イ　農業用マルチフィルム

ロ　ドライラミネート用フィルム

ハ　重包装袋用フィルム

ニ　HMHDPEゴミ袋用フィルム

［B群（多肢択一法）］

13 文中の下線部のうち、誤っているものはどれか。

計量部の溝深さが深めのスクリューに交換すると、1回転当たりの押出量は多くなる(イ)が、回転速度を上昇させていくと、1回転当たりの押出量が少なくなる(ロ)。また、スクリュー交換前と比較して計量部での樹脂温度は高くなる(ハ)が、混練状態は悪くなる(ニ)。

14 スクリューの直径が50mmの押出機のシリンダ先端部にある樹脂圧力計が24.5MPa(250kg/cm²)を示した場合、スクリューのスラストベアリングが受ける負荷として、最も近いものはどれか。

イ　48kN (4900kg)
ロ　96kN (9800kg)
ハ　192kN (19600kg)
ニ　48118kN (4910000kg)

15 長尺巻サーフェスワインダに関する記述として、誤っているものはどれか。

イ　駆動モータの変速範囲は、引取機のモータの数倍必要とされる。
ロ　製品質量は、主に、紙管軸が受けている。
ハ　巻取ロールは、駆動ロールとの摩擦により駆動している。
ニ　伸びやすいフィルムの巻取りには適していない。

16 押出機の減速機に関する記述として、誤っているものはどれか。

イ　入力軸及び出力軸にはオイル漏れ防止のため、オイルシールが使われている。
ロ　オイルレベルは、機械運転中にレベルゲージのレベルラインよりも下がる。
ハ　オイルタンクへの注油は機械運転中に行う。
ニ　オイルは定期的に、ろ過、又は交換しなければならない。

17 温度調節の作動モードに関する記述として、誤っているものはどれか。

イ　2位置動作では、ハンチング現象が発生する。
ロ　P動作では、ハンチング現象は抑えられているがオフセットを生じることがある。
ハ　PI動作は、オフセット現象を解消する。
ニ　PI動作にD動作を加えると、外乱応答性が悪くなる。

［B群（多肢択一法）］

18　各種フィルムとその一般的な特徴の組合せとして、誤っているものはどれか。

	[フィルム名]	[　特徴　]
イ	PVA	静電気を帯びにくい。
ロ	PS	透明性と光沢が極めて良好である。
ハ	PVDC	ガスバリアー性に優れているが、防湿性は劣る。
ニ	HDPE	弾性率が大きく、防湿性に優れる。

19　LLDPEに関する記述として、誤っているものはどれか。
イ　同じ密度のLDPEに比べて、結晶化速度が速い。
ロ　同じMFRのLDPEに比べて、溶融時の応力緩和時間が短い。
ハ　同じMFRのLDPEに比べて、押出圧力が低い。
ニ　同じMFR、同じ密度のLDPEに比べて、耐ストレスクラッキング性(ESCR)が優れている。

20　OPPの特性をIPPと比較した記述として、正しいものはどれか。
イ　腰が弱い。
ロ　透明性が劣る。
ハ　熱収縮率が小さい。
ニ　ヒートシール適性が劣る。

21　表面活性に関する記述として、誤っているものはどれか。
イ　表面活性の高いフィルムは、印刷インキや粘着剤の塗布性が良い。
ロ　表面活性の程度を表すのに、ぬれ張力を用いる。
ハ　非極性樹脂は、表面活性が高い。
ニ　表面活性を上げるために、コロナ放電処理や酸処理を行う。

22　HDPEに関する記述として、誤っているものはどれか。
イ　分子構造的には、枝分かれがほとんどない直鎖状高分子である。
ロ　融点は、125°C以上である。
ハ　フィルムの滑り性が良いのは、滑剤が添加されているためである。
ニ　極薄強化フィルムには、HMHDPEが使用されている。

23　PEフィルムの密度が高くなったときのフィルムの特性に関する記述として、正しいものはどれか。
イ　降伏点応力が、小さくなる。
ロ　引張弾性率が、小さくなる。
ハ　気体透過度が、上がる。
ニ　透湿度が、下がる。

［B群（多肢択一法）］

24 補助材料とその効果の組合せとして、誤っているものはどれか。

	［補助材料］	［効果］
イ	紫外線吸収剤	日光による樹脂の劣化を防ぐ。
ロ	防曇剤	フィルムが露滴により曇るのを防ぐ。
ハ	可塑剤	柔軟性を付与する。
ニ	充てん剤	静電気を防止する。

25 日本産業規格(JIS)のねじ部品の名称と簡略図示との組合せとして、誤っているものはどれか。

［名　称］　　　［簡略図示］

イ　六角ボルト

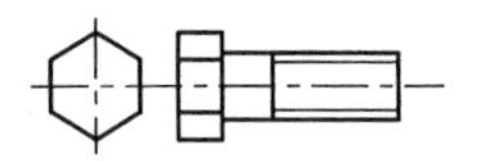

ロ　六角穴付きボルト

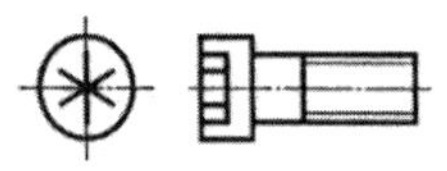

ハ　すりわり付き平小ねじ
（なべ頭形状）

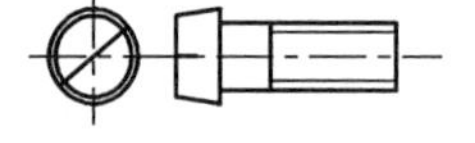

ニ　十字穴付き平小ねじ

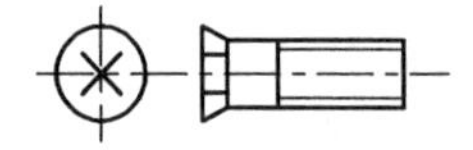

令和3年度 技能検定
1級 プラスチック成形 学科試験問題
(インフレーション成形作業)

1. 試験時間　1時間40分
2. 問題数　50題(A群25題、B群25題)
3. 注意事項

(1) 係員の指示があるまで、この表紙はあけないでください。

(2) 答案用紙(真偽法と多肢択一法の併用)に検定職種名、作業名、級別、受検番号、氏名を必ず記入してください。

(3) 係員の指示に従って、問題数を確かめてください。それらに異常がある場合は、黙って手を挙げてください。問題はA群(真偽法)とB群(多肢択一法)とに分かれています。

(4) 試験開始の合図で始めてください。

(5) 解答の方法(真偽法と多肢択一法の併用)は次のとおりです。

イ．A群の問題(真偽法)は、一つ一つの問題の内容が正しいか、誤っているかを判断して解答してください。

ロ．B群の問題(多肢択一法)は、正解と思うものを一つだけ選んで、解答してください。二つ以上に解答した場合は誤答となります。

ハ．答案用紙(マークシート用紙)へ解答する際は、答案用紙に記載されている注意事項に従ってください。

ニ．答案用紙の解答欄は、A群の問題とB群の問題とでは異なります。所定の解答欄に、試験問題の題数に応じて解答してください。解答欄はA群は50題まで、B群は25題まで解答できるようになっています。

(6) 電子式卓上計算機その他これと同等の機能を有するものは、使用してはいけません。

(7) 携帯電話、スマートフォン、ウェアラブル端末等は、使用してはいけません。

(8) 試験中、質問があるときは、黙って手を挙げてください。ただし、試験問題の内容、漢字の読み方等に関する質問にはお答えできません。

(9) 試験終了時刻前に解答ができあがった場合は、黙って手を挙げて、係員の指示に従ってください。

(10) 試験中に手洗いに立ちたいときは、黙って手を挙げて、係員の指示に従ってください。

(11) 試験終了の合図があったら、筆記用具を置き、係員の指示に従ってください。

［A群（真偽法）］

1 熱硬化性樹脂は、加熱することで流動状態をなし、金型内で冷却することで固化し、成形品を得る。

2 PMMAは、PEに比べて吸湿性の大きいポリマーである。

3 材質と長さが同じ太い電線と細い電線に、電流値が同じ電流を一定時間流した場合、発生する熱量は、細い電線の方が小さい。

4 *p*管理図は、工程を不良率で管理するための管理図である。

5 労働安全衛生法関係法令によれば、機械と機械との間又は機械と他の設備との間に設ける通路は、幅80cm以上としなければならない。

6 PPのシュリンクフィルムは、チューブラー法二軸延伸成形法でつくられている。

7 共押出インフレーション成形法は、全ての樹脂に適用可能である。

8 フィルムの引取速度を速めるほど、巻き締まりは小さくなる。

9 インフレーション成形において、フィルムの縦横の強度バランスは、一般に、ブロー比を大きくするとよくなる。

10 LDPEでは、押出樹脂圧力が低すぎると練りむらを起こし、フィルムに肌あれを起こしやすい。

11 吸湿したアイオノマーを成形すると、フィルム表面が肌あれを起こすことがある。

12 スクリーンパックの網目よりも大きな未溶融樹脂は、スクリーンパックを通過して先へ流れていくことはない。

13 材料の切替えを行う場合、前の材料を早くパージする方法の一つに、スクリューの回転速度を速くしたり遅くしたりする方法がある。

14 印刷インキの接着性は、フィルムを表面処理することにより向上する。

15 OPPは、二軸延伸することにより、CPPに比べて引張強さが向上する。

16 EPC(エッジポジションコントロール)には、フィルム移動方式と巻取機移動方式がある。

［A群（真偽法）］

17 再生材料としてフィルム粉砕片を増やして成形する際に、押出変動が発生したときは、圧縮比の小さいスクリューと交換するとよい。

18 チューブレギュレータを使用すれば、折り径は日本産業規格(JIS)の許容範囲を超えることはない。

19 ダイの指示温度が設定温度と一致しているとき、ダイから押し出される溶融樹脂の温度は、設定温度と同じである。

20 フィルムの腰の強さは、引張弾性率と相関関係がある。

21 ガスバリヤー性は、フィルムの酸素、炭酸ガス等の遮断性を意味する。

22 日本産業規格(JIS)によると、包装用PEフィルムの厚さ測定用のダイヤルゲージは、0.01mmの目盛を有するものでなければならない。

23 日本産業規格(JIS)の「包装用ポリエチレンフィルム」には、ヒートシール強さの試験方法が規定されている。

24 押出機のシリンダ材質には、SACM(窒化鋼)がよく使用されている。

25 食品に直接接触するプラスチックの容器及び包装材料は、食品衛生法関係法令により規格が定められている。

［B群（多肢択一法）］

1　次に示す製品の中で、一般に、インフレーション成形法でつくられていないものはどれか。

　イ　ごみ袋
　ロ　肥料袋
　ハ　食パン包装袋
　ニ　砂糖袋

2　フィルムの物性に影響を及ぼす成形条件の組合せとして、影響の少ないものはどれか。

　イ　ブロー比の大小とフロストライン高さ
　ロ　ブロー比の大小と引取速度
　ハ　ブロー比の大小とバブル冷却エア量
　ニ　ブロー比の大小と巻取張力

3　文中の下線で示す部分のうち、誤っているものはどれか。

　スクリーンパックが目詰まりを起こすと、ダイ内の圧力が上がり[イ]、押出樹脂量が減少し[ロ]、フロストラインが下がり[ハ]、フィルムの厚さが薄くなる[ニ]。

4　LDPEと比較したLLDPEの成形時の特徴に関する記述として、誤っているものはどれか。

　イ　バブルの安定性が悪い。
　ロ　徐冷しても透明性がよい。
　ハ　押出圧力が高い。
　ニ　メルトフラクチャーを起こしやすい。

5　フィルムの表面処理を行う際、処理不良の原因として、当てはまらないものはどれか。

　イ　フィルムのテンションの強弱
　ロ　フィルムの偏肉
　ハ　放電エアギャップ
　ニ　フィルムの透明性

6　帯電したPEフィルムに関する記述として、誤っているものはどれか。

　イ　コロナ放電処理効果が、大きくなりやすい。
　ロ　巻きぶれを起こしやすい。
　ハ　印刷ぎわに「ひげ状」の印刷汚れが発生しやすい。
　ニ　自動充てん包装での顆粒[かりゅう]の付着によるヒートシール不良を起こしやすい。

［B群（多肢択一法）］

7　LDPEフィルムのたるみに関する記述として、誤っているものはどれか。
　イ　バブルが傾いていると、中だるみが発生する。
　ロ　ピンチロールが低すぎると、中だるみ又は両耳だるみが発生する。
　ハ　フロストラインが高すぎると、部分たるみが発生する。
　ニ　ロール巻取りフィルムが耳高だと、耳だるみが発生する。

8　フィルムのすりきず発生原因となる部位として、関係のないものはどれか。
　イ　ガイドロール
　ロ　ダイリップエッジ
　ハ　振れ止め
　ニ　安定板

9　押出しむらの発生原因とならないものはどれか。
　イ　押出機メインモータの回転速度変動
　ロ　押出樹脂圧力の変動
　ハ　樹脂温度の大きいハンチング
　ニ　スクリーンパックの目詰まり

10　スクリュー供給部の固体ペレットの送り量を多くするため、次のシリンダ及びスクリューに対するペレットの摩擦力の組合せのうち、正しいものはどれか。

	［シリンダ］	［スクリュー］
イ	摩擦力大	摩擦力小
ロ	摩擦力大	摩擦力大
ハ	摩擦力小	摩擦力小
ニ	摩擦力小	摩擦力大

11　通常タイプ押出機と比較した強制フィードタイプ押出機の特徴として、適切でないものはどれか。
　イ　適用できる樹脂の範囲が広い。
　ロ　押出溶融樹脂温度を低くできる。
　ハ　単位押出量当たりの消費電力が少ない。
　ニ　スクリュー1回転当たりの押出量が多い。

12　ゲル発生の原因とならないものはどれか。
　イ　シリンダ内径の摩耗
　ロ　運転中にシリンダヒータ断線箇所の発生
　ハ　ダイ入口部流路の直径と、ジョイント内径との大きな差
　ニ　MFRの低い樹脂の混入

［B群（多肢択一法)］

13 インフレーション成形機を据え付ける場合の注意事項として、誤っているものはどれか。

イ ダイの水平が出ているかを確認する。
ロ ピンチロール中心とダイ中心が一致しているかを確認する。
ハ ピンチロールの水平が出ているかを確認する。
ニ 引取機と巻取機のロールの平行が出ているかを確認する。

14 文中の下線部のうち、誤っているものはどれか。

スパイラルダイの圧力損失は、そのダイ固有の値でなく、ダイを使用するときの<u>樹脂の種類</u>、<u>樹脂の温度</u>、<u>押出量</u>、<u>ブロー比</u>によって変わってくる。
　　　イ　　　　　ロ　　　　ハ　　　ニ

15 スクリーンパック手前の樹脂圧力が高くなるときの条件として、当てはまらないものはどれか。

イ 押出量が増したとき
ロ 溶融粘度の高い樹脂に替えたとき
ハ スクリーンパックが目詰まりを起こしたとき
ニ ダイ先端をダイリップギャップの広いものに交換したとき

16 インフレーションフィルム成形用押出機の混練不足の対策として、適切でないものはどれか。

イ 計量部の溝深さを浅くする。
ロ 計量部の長さを長くする。
ハ スクリューのL／Dを小さくする。
ニ スクリューにミキシング構造部を設ける。

17 広幅フィルム成形機のピンチロール中央部からのエアもれ対策として、誤っているものはどれか。

イ ピンチロールがスリップせず、全面均一に押圧が発生する範囲で、ピンチ圧力を低くする。
ロ ラバーロールにクラウンを付ける。
ハ ピンチロール押圧を極力高くする。
ニ ラバーロールのラバー厚さを厚くする。

18 各種補助材料とその効果の組合せとして、誤っているものはどれか。

	[各種補助材料]	[効果]
イ	紫外線吸収剤	光による劣化を防止する。
ロ	アンチブロッキング剤	フィルムの開口性を良くする。
ハ	滑剤	柔軟性を付与する。
ニ	防曇剤	フィルムが露滴により曇るのを防止する。

［B群（多肢択一法）］

19　文中の(　　)内に当てはまる語句として、適切なものはどれか。

OPSフィルムがレタスなどの生鮮野菜の包装に適しているのは、透明性、(　　)に優れているからである。

イ　ヒートシール性
ロ　ガス透過性
ハ　防湿性
ニ　耐熱性

20　PEの流動性に関する記述として、誤っているものはどれか。

イ　樹脂の分子量分布が、広くなると流動性が悪くなる。
ロ　MFRの大きい樹脂は、流動性がよい。
ハ　分子量が大きくなると、溶融樹脂の流動性が悪くなる。
ニ　溶融粘度の小さい樹脂は、流動性がよい。

21　LLDPEに関する記述として、誤っているものはどれか。

イ　同じ密度のLDPEに比べて、融点が高い。
ロ　エチレンとα−オレフィンとの共重合で造られる。
ハ　同じ密度のLDPEに比べて、ESCRが劣る。
ニ　同じMFRのLDPEに比べて、溶融張力が小さい。

22　フィルムの光学特性に関する記述として、正しいものはどれか。

イ　ヘイズが小さいほど、透明性が悪くなる。
ロ　ヘイズは、外部ヘイズのことである。
ハ　グロスの値が大きい方が、光沢は悪い。
ニ　フィルム表面の凹凸は、グロスの値に影響する。

23　プラスチックフィルムの性質を高い順に並べたものとして、誤っているものはどれか。

	[性質]	[高い順]
イ	融点	PA＞CPP＞HDPE＞LDPE
ロ	防湿性	OPP＞HDPE＞LDPE＞PA
ハ	酸素バリア性	LDPE＞HDPE＞OPP＞PET
ニ	引張弾性率	PET＞CPP＞HDPE＞LDPE

24　EVAフィルムの特徴に関する記述として、誤っているものはどれか。

イ　酢酸ビニル含有量が多くなるほど、耐寒性がよくなる。
ロ　LDPEフィルムよりも腰が強い。
ハ　LDPEフィルムよりもブロッキングしやすい。
ニ　LDPEフィルムよりも保温性に優れている。

［B群（多肢択一法）］

25　下図は、100mmスパイラルダイの調整リングの平面図と断面図であるが、日本産業規格(JIS)に基づく寸法数値及び寸法補助記号の表し方として正しいものはどれか。

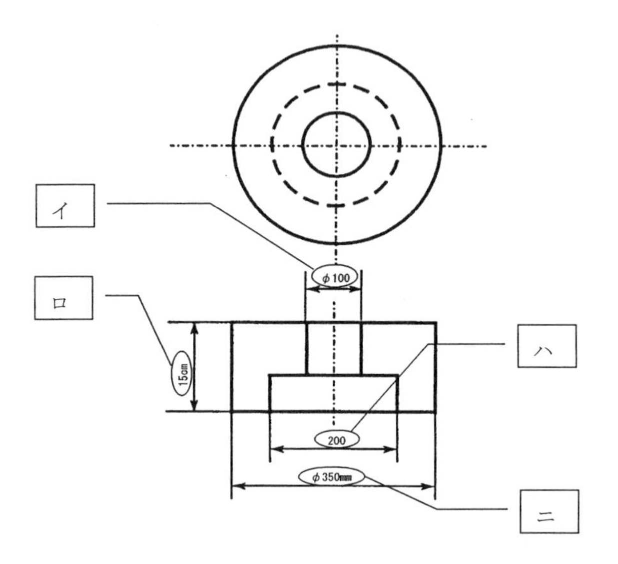

令和5年度 技能検定
2級 プラスチック成形 学科試験問題
（真空成形作業）

1. 試験時間　1時間40分
2. 問題数　50題(A群25題、B群25題)
3. 注意事項

(1) 係員の指示があるまで、この表紙はあけないでください。

(2) 答案用紙(真偽法と多肢択一法の併用)に検定職種名、作業名、級別、受検番号、氏名を必ず記入してください。

(3) 係員の指示に従って、問題数を確かめてください。それらに異常がある場合は、黙って手を挙げてください。問題はA群(真偽法)とB群(多肢択一法)とに分かれています。

(4) 試験開始の合図で始めてください。

(5) 解答の方法(真偽法と多肢択一法の併用)は次のとおりです。

イ. A群の問題(真偽法)は、一つ一つの問題の内容が正しいか、誤っているかを判断して解答してください。

ロ. B群の問題(多肢択一法)は、正解と思うものを一つだけ選んで、解答してください。二つ以上に解答した場合は誤答となります。

ハ. 答案用紙(マークシート用紙)へ解答する際は、答案用紙に記載されている注意事項に従ってください。

ニ. 答案用紙の解答欄は、A群の問題とB群の問題とでは異なります。所定の解答欄に、試験問題の題数に応じて解答してください。解答欄はA群は50題まで、B群は25題まで解答できるようになっています。

(6) 電子式卓上計算機その他これと同等の機能を有するものは、使用してはいけません。

(7) 携帯電話、スマートフォン、ウェアラブル端末等は、使用してはいけません。

(8) 試験中、質問があるときは、黙って手を挙げてください。ただし、試験問題の内容、漢字の読み方等に関する質問にはお答えできません。

(9) 試験終了時刻前に解答ができあがった場合は、黙って手を挙げて、係員の指示に従ってください。

(10) 試験中に手洗いに立ちたいときは、黙って手を挙げて、係員の指示に従ってください。

(11) 試験終了の合図があったら、筆記用具を置き、係員の指示に従ってください。

［A群（真偽法）］

1　一般的な押出成形は、一定量のプラスチック成形材料をピストン(反復)運動で押し出す成形法である。

2　熱可塑性樹脂成形品は、いったん硬化した後は、加熱しても溶融変形はしない。

3　300 Wの電熱器と600 Wの電熱器では、供給する電圧値が同じであれば、電熱器に流れる電流値は同じである。

4　抜取検査とは、検査ロットのすべての製品について行う検査をいう。

5　労働安全衛生法関係法令によれば、1年を超える期間使用しないフォークリフトは、当該使用しない期間において、1年を超えない期間ごとに行う定期自主検査は行わなくてもよい。

6　プラグアシスト成形は、浅い形状の成形に適しており、深い形状の場合、成形品底部とそのコーナ部の肉厚が極端に薄くなるため、実用的ではない。

7　プラグアシスト成形において、ヒータの温度を低くしていくと、成形品の凹部のコーナ部が丸くなるなど、型再現性が悪くなる。

8　真空圧空成形では、一般に、圧空は金型が閉じるのと同時に入れ、真空はプラグで押し込む途中で入れることが多い。

9　真空圧空・プラグアシスト成形で、離型時に成形品にしわ(潰れ)が発生したので、プラグ側のテーブル開タイミングを早めにした。

10　プラスチックカップの蓋などの穴あけには、主にダイ・パンチ式が用いられている。

11　アナログ式のマイクロメータは、目盛りを斜めから読み取ると、正確な寸法が読み取れない場合がある。

12　成形総数(計算値)は、シート使用長さを送り長さで除して、小数点以下を切り捨てた値を用いて計算される。

13　シート繰出機とは、シートガイド装置で幅方向の位置出しされたシートの両側を保持し、間欠的に成形機内を順送する装置である。

14　成形機のシート加熱装置の種類には、輻(ふく)射加熱式と熱板加熱式がある。

［A群（真偽法）］

15　空圧複動シリンダの速度調整は、一般に、シリンダへ供給されるエア量を制御する方法が用いられる。

16　油圧回路で用いられる絞り弁は、流量制御弁の一つである。

17　シーケンス制御は、あらかじめ定められた順序又は条件に従って、各段階を逐次進めていく制御である。

18　キャビティに施すテフロン処理は、製品の表面光沢性を向上させる目的で行う表面処理である。

19　雌型金型のキャビティ内径寸法は、製品の外径寸法に等しい。

20　金型メーカーで行う完成検査の検査項目の一つに、冷却水系統の水漏れ検査がある。

21　OPS は、高透明、高光沢、高剛性のポリスチレンの二軸延伸シートであり、弁当容器や寿司などの蓋として広く使われる。

22　PPF は、ポリプロピレン(PP)に無機フィラーを配合したもので、高い耐熱性が得られ、油分を含んだ食材のレンジアップに対応し、コンビニエンスストアのパスタ容器などに使われる。

23　日本産業規格(JIS) によれば、プラスチック製品の取扱いや、廃棄物の回収又は処分を決定するときの識別に役立つことを目的とする、>PP< のようにプラスチック製品に表示する材質の記号及び略語は、当事者間で決めることと規定されている。

24　日本産業規格(JIS) の「機械製図」によれば、厚さの寸法を板の主投影図に表す場合、厚さを表す記号 t を寸法数値の前に記入し、下図のように図の中に書くことができる。

t5

25　食品衛生法関係法令によれば、プラスチック食品容器包装に係る営業を営もうとする者は、厚生労働省令で定める事項を、都道府県知事に届け出なければならない。

［B群（多肢択一法）］

1　雌型を使用して深絞り成形ができるように改良された成形手法として、正しいものはどれか。

イ　エアスリップ成形
ロ　ドレープ成形
ハ　ストレート成形
ニ　プラグアシスト成形

2　次の成形方法に関し、その特徴として適切でないものはどれか。

	［成形方法］	［特徴］
イ	ストレート成形	肉厚分布の調整がしやすい。
ロ	ドレープ成形	比較的底部の肉厚を確保しやすい。
ハ	プラグアシスト成形	成形品外側の寸法精度がよい。
ニ	マッチモールド成形	真空を併用することが多い。

3　次の真空圧空成形の成形条件に関し、その設定により影響を受ける品質として、適切でないものはどれか。

	［成形条件］	［影響を受ける品質］
イ	材料温度	重量のばらつき
ロ	金型温度	チルマーク
ハ	真空度	型再現性
ニ	型締め力	肉厚分布

4　温度設定に関する記述として、誤っているものはどれか。

イ　シート全体を均一な温度にするため、ヒータの温度はすべて同じになるように設定するとよい。
ロ　加熱不足の場合、凹部のコーナが丸くなるなど、型再現性が悪くなる。
ハ　ヒータの温度バランスは、多数個取り製品の品質ばらつき不良の重要な要因である。
ニ　金型の温度が低い場合、チルマークが発生しやすい。

5　圧力に関する記述として、誤っているものはどれか。

イ　型締力が小さいと、圧空をかけた際に金型が開いて圧空が漏れる。
ロ　圧空圧力が低い方が、型再現性が良くなる。
ハ　離型圧力が低い方が、離型じわが発生しにくい。
ニ　真空度が低いと型再現性が悪くなる。

6　真空圧空・プラグアシスト・上型成形において、底部の肉厚不足対策として、適切でないものはどれか。

イ　テーブル閉じタイミングを遅くする。
ロ　真空タイミングを遅くする。
ハ　加熱温度を上げる。
ニ　プラグの高さを高くする。

［B群（多肢択一法）］

7　真空圧空・上型成形で、ブリッジが発生した場合の不良対策として、適切なものはどれか。

　イ　圧空タイミングを早くする。
　ロ　真空タイミングを早くする。
　ハ　送りタイミングを早くする。
　ニ　離型タイミングを早くする。

8　成形品の仕上げ及び二次加工方法に関する記述として、適切なものはどれか。

　イ　ダイ・パンチ式では、立体的なトリミングはできない。
　ロ　カーリングマシン(リミングマシン)では、スクリューは加熱しない。
　ハ　成形品蓋のU字型の弁加工は、トムソン式でもできる。
　ニ　ラベル貼りでは、天面貼りはできない。

9　測定器の取扱い及び特長として、適切でないものはどれか。

　イ　ノギスは、使用前に外側ジョウを閉じた状態で原点を確認する。
　ロ　マイクロメータは、使用前に0(ゼロ)点を合わせる。
　ハ　電子天びんは、水平な場所に設置する。
　ニ　デプスゲージは、ノギスのデプスバーよりも、ばらつきが大きい。

10　真空成形機の安全装置に関する記述として、誤っているものはどれか。

　イ　真空成形機の扉には、リミットスイッチなどによるインターロックが設けられ、自動運転中に扉を開くと非常停止する。
　ロ　真空成形機の上下テーブル間で作業する場合、停止ボタンを押せば、安全が確保される。
　ハ　シートの垂れ過ぎ(オーバーサグ)は光電センサ等で検出し、加熱装置の退避・供給電源の遮断により、火災防止が図られている。
　ニ　真空成形機周辺には、各所に操作電源を遮断し、非常停止させる押しボタンが設置されている。

11　サーボモータ駆動式のテーブル駆動装置の特徴として、誤っているものはどれか。

　イ　油圧駆動式及びエアシリンダ駆動式に比較して、エネルギー効率が悪い。
　ロ　油圧駆動式の場合に必要になる作動油の冷却装置が不要である。
　ハ　油圧駆動式及びエアシリンダ駆動式に比較して、制御の応答性・安定性が優れており、高品質・高生産性の確保が可能である。
　ニ　作動油漏れがないので、作業場が清潔に保たれる。

12　次のうち、エアコンプレッサで、発生する脈動を防止する役目があるものはどれか。

　イ　エアドライヤ
　ロ　減圧弁
　ハ　クッションタンク
　ニ　エアレシーバタンク

［Ｂ群（多肢択一法）］

13　次の油圧機器のうち、方向制御弁はどれか。

イ　絞り弁

ロ　逆止め弁

ハ　減圧弁

ニ　リリーフ弁

14　次の光電センサの検出方式うち、検出距離が最も長いものはどれか。

イ　透過型

ロ　回帰反射型

ハ　拡散反射型

ニ　直接反射型

15　制御系統の要素又は機能に関する記述として、誤っているものはどれか。

イ　CPUとは、各種装置を制御し、データを処理する中央演算処理装置である。

ロ　シーケンス制御には、順序制御と条件制御とがある。

ハ　プログラム制御とは、設定値をあらかじめ定められたプログラムにより変化させる制御である。

ニ　PLC制御とは、主に調節計を用いた自動制御を行う際に使用される制御方法である。

16　真空成形機の附属機器に関する記述として、誤っているものはどれか。

イ　除電装置は、プラスチックシート又は成形後の成形品に帯電した静電気を取り除くために用いられる。

ロ　ラミネート装置は、プラスチックシートにプラスチックフイルムを加熱ロール間で圧着しながら連続で貼り合わせる装置である。

ハ　集積装置は、トリミングされた製品を計数テーブル上で積み重ね、設定した枚数に達すると、突き出し装置等で機外に排出する装置である。

ニ　熱固定(ヒートセット)成形を行う場合、金型に加熱ヒータを使用する。

17　金型温度調節装置のチラーに関する記述として、誤っているものはどれか。

イ　冷凍機を内蔵し、冷却水を循環させ、成形機を冷却することを目的とする。

ロ　金型温度調節装置と併せて使用し、金型温調機の冷却能力を上げるために使用する。

ハ　空冷式チラーは、チラー内にファンを内蔵しており、設置は簡単だが屋内に排熱が発生する。

ニ　水冷式は、冷凍機用の冷却水が必要になるが、冷却効率が優れており、室内に排熱を発生させない。

［Ｂ群（多肢択一法）］

18　次のうち、トムソン式抜型の構成要素ではないものはどれか。
　イ　ビク刃
　ロ　当て板
　ハ　製品ガイド
　ニ　ダイセット

19　次のうち、マッチモールド用金型のプラグ材質として、最も適切なものはどれか。
　イ　合成木材(ケミカルウッド)
　ロ　金属(アルミニウム)
　ハ　シンタクチックフォーム
　ニ　ポリアミド樹脂

20　成形用金型の定期的なメンテナンス項目として、誤っているものはどれか。
　イ　真空孔の詰り
　ロ　サンドブラスト加工の再処理
　ハ　エッチング加工の再処理
　ニ　プラグ焼けの再研磨

21　成形材料の物性や使い方に関する記述として、誤っているものはどれか。
　イ　曲げ弾性率の大きい材料ほど、力を加えた時にたわみにくい。
　ロ　引張試験の応力－ひずみ曲線(S-S曲線)において、破壊ひずみの大きい材料は、一般に脆(もろ)い材料である。
　ハ　ガスバリア性とは、酸素などの気体の透過を防ぐ性質をいう。
　ニ　ヘーズ(HAZE)とは、シートや製品の曇りの程度を表す。

22　次のシート材質の食品用容器を使用するとき、その耐熱温度として誤っているものはどれか。

	［シート材質］	［耐熱温度］
イ	PPF (フィラー配合PP)	130 °C
ロ	HIPS (PS-HI)	120 °C
ハ	PBP (PP/EVOH/PP)	110 °C
ニ	A-PET (アモルファスPET)	60 °C

23　日本産業規格(JIS)によれば、プラスチック材料の略語と材料名の組合せとして、誤っているものはどれか。

	［略語］	［材料名］
イ	PET	ポリブチレンテレフタレート
ロ	PS	ポリスチレン
ハ	PE	ポリエチレン
ニ	EVOH	エチレンビニルアルコールプラスチック

［B群（多肢択一法）］

24　日本産業規格(JIS) によれば、寸法補助記号と意味の組合せとして、誤っているものはどれか。

	［寸法補助記号］	［意味］
イ	Sϕ	180° 以下の円弧の直径
ロ	ϕ	180° を超える円弧の直径又は円の直径
ハ	C	45° の面取り
ニ	∨	皿ざぐり

25　食品衛生法関係法令、家庭用品品質表示法関係法令、容器包装に係る分別収集及び再商品化の促進等に関する法律関係法令に関する記述として、誤っているものはどれか。

イ　食品衛生法の対象は、食品及び添加物、器具及び容器包装、乳幼児用おもちゃ、洗浄剤などである。

ロ　食品衛生法の対象のうち、容器包装については、ホルムアルデヒドを原料とする合成樹脂が規定されており、ポリスチレンやポリプロピレンは対象外である。

ハ　家庭用品品質表示法による合成樹脂加工品のなかで、皿等、容器類は、原料としての合成樹脂の種類、耐熱温度、取扱い上の注意の表示が義務付けられている。

ニ　容器包装に係る分別収集及び再商品化の促進等に関する法律は、ほとんどすべてのプラスチック容器包装に適用される。

令和4年度 技能検定
2級 プラスチック成形 学科試験問題
（真空成形作業）

1. 試験時間　1時間40分
2. 問題数　50題(A群25題、B群25題)
3. 注意事項

(1)　係員の指示があるまで、この表紙はあけないでください。

(2)　答案用紙(真偽法と多肢択一法の併用)に検定職種名、作業名、級別、受検番号、氏名を必ず記入してください。

(3)　係員の指示に従って、問題数を確かめてください。それらに異常がある場合は、黙って手を挙げてください。問題はA群(真偽法)とB群(多肢択一法)とに分かれています。

(4)　試験開始の合図で始めてください。

(5)　解答の方法(真偽法と多肢択一法の併用)は次のとおりです。

イ．　A群の問題(真偽法)は、一つ一つの問題の内容が正しいか、誤っているかを判断して解答してください。

ロ．　B群の問題(多肢択一法)は、正解と思うものを一つだけ選んで、解答してください。二つ以上に解答した場合は誤答となります。

ハ．　答案用紙(マークシート用紙)へ解答する際は、答案用紙に記載されている注意事項に従ってください。

ニ．　答案用紙の解答欄は、A群の問題とB群の問題とでは異なります。所定の解答欄に、試験問題の題数に応じて解答してください。解答欄はA群は50題まで、B群は25題まで解答できるようになっています。

(6)　電子式卓上計算機その他これと同等の機能を有するものは、使用してはいけません。

(7)　携帯電話、スマートフォン、ウェアラブル端末等は、使用してはいけません。

(8)　試験中、質問があるときは、黙って手を挙げてください。ただし、試験問題の内容、漢字の読み方等に関する質問にはお答えできません。

(9)　試験終了時刻前に解答ができあがった場合は、黙って手を挙げて、係員の指示に従ってください。

(10)　試験中に手洗いに立ちたいときは、黙って手を挙げて、係員の指示に従ってください。

(11)　試験終了の合図があったら、筆記用具を置き、係員の指示に従ってください。

［A群（真偽法)］

1　一般に、押出成形法では、熱硬化性樹脂を成形することはできない。

2　熱可塑性樹脂は、一般に、熱硬化性樹脂よりも、耐熱性、耐溶剤性に優れている。

3　オームの法則によると、電圧が一定ならば、電流は電気抵抗の大きいものほど多く流れる。

4　抜取り検査とは、製品(検査ロット)の中の一部を抜き取って検査し、ロットの合格、不合格を判定する検査方法である。

5　職場の5Sとは、整理、整頓、清掃、清潔、しつけ(習慣化)のことをいう。

6　熱収縮の大きいシートや印刷シートの柄を成形品に合わせる印刷合わせの成形には、真空成形が最も適している。

7　一般に、ヒータの温度は、シート全体が均一な温度になるように、ヒータゾーンの中ほどを低く、外周部を高めに設定する。

8　真空度が高いほど、型再現性が悪い。

9　成形品に真空孔の跡が目立ちだしたので、金型の温度を低くした。

10　成形品の仕上げ及び二次加工の方法に、トリミング、穴開け、印刷、ラベル貼り、ラベルシュリンク加工、カーリングなどがある。

11　成形品の質量を測定する際に用いる電子天秤は、水平をとる必要はない。

12　成形不良率の計算に用いられる成形総数(計算値)は、材料の長さと、送り長さ/shot、金型の製品取り数によって得られた値の小数点以下を四捨五入して算出する。

13　熱板加熱式成形機は、成形金型に打ち抜き構造が組み込まれ、成形と同時又は成形直後に金型の中で打ち抜きを行うため、抜きずれが全くない成形品が得られる。

14　真空成形機に取付けられている安全装置は作業時間短縮の妨げになるため、一時的であれば、安全を確認し、結束バンドで留めて成形作業をしてもよい。

15　空圧複動シリンダの速度調整は、一般に、シリンダから排気されるエア量を制御する方法が用いられる。

［A群（真偽法）］

16　油圧回路で用いられる絞り弁は、圧力制御弁の一つである。

17　近接スイッチは、定められた位置で検出体を検出できるので、機器の連動工程の中で(対象)動作の検出などに用いられる。

18　熱板圧空成形用金型は、成形方法上、プラグ側のみで構成される。

19　真空圧空成形用金型は、キャビティ側の圧空に加え、プラグ側の真空を併用するので、頑丈な構造となっている。

20　金型のキャビティに施されているサンドブラストやテフロン処理は、長期間使用していると摩耗するので、定期的にメンテナンスすることが必要である。

21　カップ麺容器には、断熱性、保温性に優れるPSPが広く使われる。

22　ポリプロピレンシート(PP)は、印刷性に優れ、印刷のための特別な処理を必要としない。

23　日本産業規格(JIS)によれば、プラスチックの曲げ試験における、支点や荷重点などの寸法が規定されている。

24　半径の寸法を表す場合、下図のように、寸法数字の前に半径の記号Rを寸法数字と同じ文字高さで記入する。

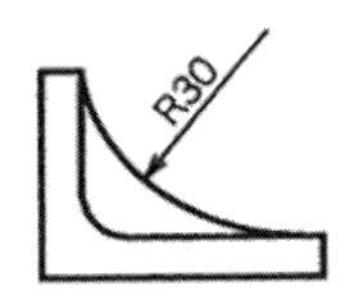

25　容器包装に係る分別収集及び再商品化の促進等に関する法律関係法令によれば、レジ袋が有償の場合、商品になるので、容器包装のリサイクルの対象にはならない。

［B群（多肢択一法）］

1　ドレープ成形の特徴として、適切でないものはどれか。

イ　深絞りが可能である。

ロ　比較的成形品底部の肉厚を確保しやすい。

ハ　成形品の外形寸法の精度がよい。

ニ　離型が難しくなる。

2　マッチモールド成形の特徴として、誤っているものはどれか。

イ　主に発泡シートの成形に用いられる。

ロ　成形品の厚みは、雄型と雌型の隙間とほぼ同様になる。

ハ　発泡シートと型が接触する面積が、真空成形と比較して約1.5倍になる。

ニ　発泡シートの真空成形と比較して、寸法のバラツキが小さい。

3　真空成形における時間の条件に関する記述として、誤っているものはどれか

イ　真空圧空成形において、排気時間が短過ぎると、金型が開く時に圧空が漏れることがある。

ロ　圧空時間が短過ぎると、型再現性が悪くなる不具合が発生することがある。

ハ　マッチモールド成形において、離型時間が短過ぎると、シワが発生することがある。

ニ　真空時間が長過ぎると、成形品が変形する不具合が発生することがある。

4　成形条件と、その条件の影響を受ける品質として、適切でないものはどれか。

	[成形条件]	[影響を受ける品質]
イ	テーブルタイミング	チルマーク
ロ	真空時間	肉厚分布
ハ	金型温度	型再現性
ニ	チェーンレール幅拡張	ブリッジ

5　次の成形条件に関する記述のうち、誤っているものはどれか。

イ　テーブル時間は、金型が閉じている時間よりも短い。

ロ　一般に、真空圧空成形では、圧空よりも真空を早く入れる。

ハ　シートの加熱状態は、ヒータ温度と加熱時間で調整する。

ニ　真空時間や圧空時間が短いと、変形などの不具合が発生しやすい。

6　真空成形で、成形品の変形不良を防ぐために行う成形条件の変更として、次のうち、最も効果的なものはどれか。

イ　型締め力を小さくする。

ロ　真空時間を長くする。

ハ　離型時間を短くする。

ニ　成形のサイクルタイムを短くする。

［B群（多肢択一法）］

7 真空圧空・プラグアシスト・上型成形で、成形品のフランジの肉厚が厚い場合の不良対策として、適切なものはどれか。

イ 圧空タイミングを遅くする。
ロ 真空タイミングを早くする。
ハ プラグの高さを高くする。
ニ 加熱温度を下げる。

8 次のうち、成形品の仕上げ及び二次加工の方法でないものはどれか。

イ ラミ加工
ロ カーリング(リミング)
ハ 穴開け
ニ ラベル貼り

9 ノギスに関する記述として、適切でないものはどれか。

イ ノギスを使用する前には、外側用ジョウを閉じて、原点を確認してから使用する。
ロ 内径測定時は、できるだけ内側用ジョウを浅く差し込んで測定する。
ハ 深さを測定するときは、デプス基準面を測定物に密着させて測定する。
ニ ノギスは、クランプせずに保管する。

10 真空成形の輻(ふく)射加熱式ヒータに関する一般的な記述として、誤っているものはどれか。

イ セラミックヒータは、応答性に優れ、寿命が長い。
ロ カーボンヒータは、応答性に優れるが、寿命が短い。
ハ ハロゲンヒータは、応答性に優れるが、寿命が短い。
ニ ロッドヒータは、応答性が鈍いが、寿命が長い。

11 真空成形機の種類又は構造に関する記述として、誤っているものはどれか。

イ 真空成形機の種類は、大きく分類すると輻(ふく)射加熱式と熱板加熱式の2つに分けられる。
ロ 熱板加熱式の成形機には、同時抜き圧空(真空)成形機及び熱板圧空成形機がある。
ハ 上下成形テーブルの駆動機構には、空圧駆動式、油圧駆動式及びサーボモータ駆動式がある。
ニ 熱板加熱式成形機のシート加熱は、温度管理された熱板にシートを密着させ、直後に反転成形する方法である。

［B群（多肢択一法）］

12　コンプレッサ(圧縮機)に関する記述として、誤っているものはどれか。

イ　スクリューの回転運動やピストンの往復運動によって気体を圧縮し、圧力を高め、連続的に送り出す装置である。

ロ　ネジ形の「雄」及び「雌」のロータを噛み合せて外側ケースとの空間に空気を吸い込み、ねじの回転により空間の容積を小さくして圧縮して吐き出すスクリュー式圧縮機がある。

ハ　シリンダ内のピストンを往復させ、吸込弁を開き、空気を吸い込み、容積を小さく圧縮して吐出弁を開け、圧縮空気を吐き出す往復式圧縮機がある。

ニ　比較的に小型で大きな力が発揮でき、出力や速度の制御が容易で遠隔操作が可能であるなどの特徴を有し、液体をエネルギーの伝達媒体とした駆動系の装置である。

13　次の油圧機器のうち、方向制御弁はどれか。

イ　チェック弁

ロ　絞り弁

ハ　減圧弁

ニ　リリーフ弁

14　真空成形の電気系統、制御系統機器に関する記述として、誤っているものはどれか。

イ　ヒューズは、定格以上の大電流が流れたときに、電気回路を保護し、あるいは加熱や発火といった事故を防止する電子部品である。

ロ　電磁開閉器は、電磁石の動作で電路を開閉する電磁接触器と、過負荷により回路を遮断するサーマルリレー等を組み合わせた開閉器で、マグネット・スイッチと呼ばれている。

ハ　タイマは、時間要素を持ち、セットされた時間経過後、出力部が動作する制御機器である。

ニ　エンコーダは、光のさまざまな性質を利用して物体の有無や表面状態の変化などを検出するセンサである。

15　電気系統の要素又は機能に関する記述として、誤っているものはどれか。

イ　成形機の扉には、安全のため、リミットスイッチによるインターロックが設けてある。

ロ　光電センサは、シート加熱オーバーやシート外れ等によるシートの垂れを検出することはできない。

ハ　非常停止には、操作電源を遮断するための押しボタンが、各所に使用される。

ニ　機内メンテナンス用の安全棒には、リミットスイッチによるインターロックが設けてある。

［B群（多肢択一法）］

16　金型温度調節装置のチラーに関する記述として、誤っているものはどれか。
　イ　冷凍機を内蔵し、冷却水を循環させ、成形金型を冷却することを目的とする。
　ロ　金型温度調節装置と併せて使用し、金型温調機の冷却能力を上げるために使用する。
　ハ　水冷式は、冷凍機用の冷却水が必要になるが、空冷式よりも冷却効率が優れている。
　ニ　空冷式チラーは、室内に排熱を発生させない。

17　真空成形機の附属機器に関する記述として、誤っているものはどれか。
　イ　除塵(じん)機とは、プラスチックシート又は成形後の成形品に帯電した静電気を取り除く装置である。
　ロ　ラミネート装置は、プラスチックシートにプラスチックフイルムを加熱ロール間で圧着しながら連続で貼り合わせる装置である。
　ハ　集積装置は、トリミングされた製品を計数テーブル上で積み重ね、設定した枚数に達すると排出する装置である。
　ニ　巻き取り機は、トリミング機で成形品をトリミング後のスクラップをロール状に巻き取る装置である。

18　次のうち、成形品の重量ばらつき防止に最も効果的な装置はどれか。
　イ　ノックアウト装置
　ロ　ストリッパー装置
　ハ　個別先行クランプ装置
　ニ　ダイクランプ装置

19　一般的な真空及び真空圧空成形用金型の真空孔に関し、成形材料と真空孔の孔径の組合せとして、誤っているものはどれか。

	【成形材料】	【孔径】
イ	PS	ϕ1.0 mm
ロ	PP	ϕ0.5 mm
ハ	PSP	ϕ0.8 mm
ニ	A-PET	ϕ0.6 mm

20　金型及び抜型の取付け・取外しに関する記述として、誤っているものはどれか。
　イ　プラグなど部品の破損がないよう慎重に行う必要がある。
　ロ　取り付けるときは、金型台車に上下金型をセットして載せる。
　ハ　取り外すときは、上下金型を閉じ、上下のダイクランプを外した後、下テーブルを上昇させる。
　ニ　ダイ・パンチ式抜型には、上下ベースプレートを固定するストッパー治具が付いているので、治具の取付け、取外しを忘れないこと。

［B群（多肢択一法）］

21　プラスチック材料及びそのシートの特徴として、誤っているものはどれか。

イ　ポリスチレン(PS)は、耐油性に優れる。

ロ　ポリスチレンシートを2軸延伸したOPSシートは、透明性に優れる。

ハ　ポリプロピレン(PP)は、耐薬品性に優れる。

ニ　ポリプロピレン(PP)に無機フィラーを配合したPPFシートは、PPよりも耐熱性に優れる。

22　成形材料の物性や使い方に関する記述として、誤っているものはどれか。

イ　曲げ弾性率の大きい材料ほど、力を加えた時にたわみにくい。

ロ　引張試験の応力－ひずみ曲線（S-S曲線）において、破壊ひずみの大きい材料は、一般に脆（もろ）い材料である。

ハ　ガスバリア性とは、酸素などの気体の透過を防ぐ性質をいう。

ニ　ヘーズとはシートや製品の曇りの程度を表す。

23　日本産業規格(JIS)によれば、MFRの試験法に関する記述として、誤っているものはどれか。

イ　MFRは、成形加工中の材料の流動性を表すので、材料の成形性の指標として最適である。

ロ　MFRの測定する温度、荷重などの試験条件は、測定する材料の規格による。

ハ　MFRは、10分間当たりのグラム数(g/10 min)で表される。

ニ　材料の流動性の目安として、MFRの他に、MVRもある。

24　日本産業規格(JIS) によれば、寸法補助記号と意味の組合せとして、誤っているものはどれか。

	［寸法補助記号］	［意味］
イ	□	正方形の辺
ロ	t	厚さ
ハ	∧	円すい(台)状の面取り
ニ	⌒	円弧を作る角度

25　食品衛生法関係法令に関する記述として、誤っているものはどれか。

イ　ポジティブリスト制度に適合していることを説明する義務のある事業者は、器具又は容器包装の販売、製造、輸入業者である。

ロ　ポジティブリスト制度に適合していることの情報を伝達する方法は、営業者における情報の記録又は保存等により、事後的に確認する手段を確保する必要がある。

ハ　容器包装の製造が、食品業者に直接販売する業者から委託されている場合、食品衛生法による管理基準は、委託元にのみ適用される。

ニ　ポジティブリストに適合していることの説明では、必ずしも個別物質等の開示までは必要ない。

令和３年度技能検定

２級 プラスチック成形 学科試験問題

（真空成形作業）

1. 試験時間　1時間40分
2. 問題数　50題(A群25題、B群25題)
3. 注意事項

(1) 係員の指示があるまで、この表紙はあけないでください。

(2) 答案用紙(真偽法と多肢択一法の併用)に検定職種名、作業名、級別、受検番号、氏名を必ず記入してください。

(3) 係員の指示に従って、問題数を確かめてください。それらに異常がある場合は、黙って手を挙げてください。問題はA群(真偽法)とB群(多肢択一法)とに分かれています。

(4) 試験開始の合図で始めてください。

(5) 解答の方法(真偽法と多肢択一法の併用)は次のとおりです。

イ. A群の問題(真偽法)は、一つ一つの問題の内容が正しいか、誤っているかを判断して解答してください。

ロ. B群の問題(多肢択一法)は、正解と思うものを一つだけ選んで、解答してください。二つ以上に解答した場合は誤答となります。

ハ. 答案用紙(マークシート用紙)へ解答する際は、答案用紙に記載されている注意事項に従ってください。

ニ. 答案用紙の解答欄は、A群の問題とB群の問題とでは異なります。所定の解答欄に、試験問題の題数に応じて解答してください。解答欄はA群は50題まで、B群は25題まで解答できるようになっています。

(6) 電子式卓上計算機その他これと同等の機能を有するものは、使用してはいけません。

(7) 携帯電話、スマートフォン、ウェアラブル端末等は、使用してはいけません。

(8) 試験中、質問があるときは、黙って手を挙げてください。ただし、試験問題の内容、漢字の読み方等に関する質問にはお答えできません。

(9) 試験終了時刻前に解答ができあがった場合は、黙って手を挙げて、係員の指示に従ってください。

(10) 試験中に手洗いに立ちたいときは、黙って手を挙げて、係員の指示に従ってください。

(11) 試験終了の合図があったら、筆記用具を置き、係員の指示に従ってください。

［A群（真偽法）］

1 成形法、特徴及び成形品名の組合せは正しい。

【成形法】	【特　徴】	【成形品名】
押出成形	一定断面形状のものを連続生産できる	パイプ

2 熱可塑性樹脂は、一般に、熱硬化性樹脂よりも、耐熱性、耐溶剤性に優れている。

3 消費電力500Wの装置を200Vで使用した場合は、5Aの電流が装置に流れる。

4 抜取検査とは、製品の中からサンプルを抜き取って検査することをいう。

5 労働安全衛生法関係法令では、作業場の明るさ(照度)について、基準は定めていない。

6 成形品を離型するには、下型成形よりも上型成形の方が有利である。

7 一般的にドローダウンするシートを成形する場合、加熱が進み、シートが垂れ下がり始めた時か、その直後が成形に適している。

8 プラグアシスト成形において、ヒータの温度を高くしていくと、成形品の底部厚みが薄くなる現象が発生しやすい。

9 多数個取りの成形で、成形品の側壁が薄くなる傾向と重量のバラつきが大きくなる傾向が見られたので、加熱時間を短くした。

10 プラスチックカップの蓋などの穴あけには、主にダイ・パンチ式のトリミング機が用いられている。

11 ノギスとマイクロメータは、どちらも非常によく使われる実長測定機であるが、精度は、ノギスの方がマイクロメータより優れている。

12 成形不良率は、実際に成形した数量に占める不良数の割合である。

13 圧空圧力が一定の場合、金型面積が広くなると必要とされる型締力も大きくなる。

14 シート繰出機は、一般的にシートを1ショット以上、巻き戻す装置のことをいう。

15 コンプレッサとは、スクリューの回転運動又はピストンの往復運動等によって気体を凝縮して圧力を高め、連続的に送り出す装置のことである。

16 油圧回路に用いられる減圧弁は、一部の回路を主回路よりも低い圧力に設定する場合に用いられる。

［A群（真偽法）］

17 電磁波は、精密機器等に誤作動の悪影響を及ぼすおそれがある。

18 熱板圧空成形用金型は、シート加熱時はキャビティ側から真空圧がかかり、成形時はキャビティ側から圧空圧と熱板側から真空圧がかかる。

19 成形型のノックアウト装置は、アンダーカット形状の製品など、離型しにくい成形品を型から外すための装置である。

20 型替作業において、金型吊り上げ時のアイボルトは、10mm 以上ねじ込まれていればよい。

21 ポリプロピレン樹脂は、耐油性に優れ、マーガリン容器などに適している。

22 A-PET は、その高いガスバリア性から味噌容器などに使われる。

23 材料の耐油性の測定法は、日本産業規格(JIS)で規定されている。

24 日本産業規格(JIS)によれば、長さの寸法数値は、通常ミリメートル単位で記入し、単位はつけないと規定されている。

25 食品用トレーに使用する原材料等は、食品衛生法関係法令に基づく、食品、添加物等の規格基準のポジティブリストに掲載されたものを使用しなければならない。

［B群（多肢択一法）］

1 ストレート成形の特徴として、適切でないものはどれか。
 イ 浅絞り(実用的な絞り比 1/2 程度)しかできない。
 ロ 成形品底面コーナ部が肉厚になる。
 ハ 成形品の外形寸法の精度がよい。
 ニ 離型が容易である。

2 熱板圧空成形に関する記述として、誤っているものはどれか。
 イ シートの加熱完了直後に、熱板側から圧空を吹き成形を行う。
 ロ プラグアシストなど、成形上の補助手段が使用できない。
 ハ 熱収縮が大きいシートや印刷シートの柄を成形品に合わせる印刷合せ成形には、欠かせない成形方法である。
 ニ シートを両面加熱するため、一般的にシート厚みが 0.5mm を超える成形には最適である。

3 温度設定に関する記述として、誤っているものはどれか。
 イ ヒータをすべて同じ温度に設定すると、ヒータの外周部の成形品が熱不足になる、あるいは、ヒータの中ほどの成形品が加熱過度になる。
 ロ 加熱不足の場合、凹部のコーナが丸くなるなど、型再現性が悪くなる。
 ハ ヒータの温度バランスは、多数個取り製品の品質バラつき不良の重要な要因である。
 ニ 金型の温度が高めの場合、チルマークが発生し易い。

4 圧力に関する記述として、誤っているものはどれか。
 イ 型締力が小さいと、圧空をかけた際に金型が開いて漏れる。
 ロ 圧空圧力が高い方が、型再現性が良くなる。
 ハ 離型圧力が高い方が、離型じわが発生しにくい。
 ニ 真空度が低いと型再現性が悪くなる。

5 成形条件に対する品質に関する事項の組合せとして、適切なものはどれか。

	【成形条件】	【品質に関する事項】
イ	送り速度	チルマーク
ロ	圧空時間	肉厚分布
ハ	プラグ高さ	型再現性
ニ	チェーンレール幅拡張	重量のばらつき

6 真空圧空・プラグアシスト・上型成形において、底部の肉厚不足不良対策として、適切なものはどれか。
 イ 成形のサイクルタイムを短くする。
 ロ 真空タイミングを早くする。
 ハ 離型時間を短くする。
 ニ プラグの高さを高くする。

［B群（多肢択一法）］

7　文中の(　　)内に当てはまる語句として、適切なものはどれか。

真空圧空・上型成形で、ブリッジが発生したため、(　　)を早くした。

イ　圧空タイミング
ロ　真空タイミング
ハ　送りタイミング
ニ　離型タイミング

8　成形品の仕上げ及び二次加工の方法として、適切でないものはどれか。
イ　ラミ加工
ロ　カーリング(リミング)
ハ　穴開け
ニ　ラベル貼り

9　測定機器とその使用目的の組合せとして、誤っているものはどれか。

	【測定機器】	【使用目的】
イ	R ゲージ	製品の R 部などの測定
ロ	シックネスゲージ	製品の厚みや二次厚みなどの測定
ハ	電子天秤	製品の重量などを測定
ニ	デプスゲージ	製品の透明度などを測定

10　OPS シートで容器の蓋製品を成形するのに適した成形機はどれか。
イ　真空圧空成形機
ロ　ブロー成形機
ハ　熱板圧空成形機
ニ　射出成形機

11　真空成形機の種類及び構造として、誤っているものはどれか。
イ　真空成形機の種類は、大きく分類すると輻射加熱式と熱板加熱式の二つに分けられる。
ロ　輻射加熱式の成形機には、真空成形機、真空圧空成形機、同時抜き圧空(真空)成形機がある。
ハ　上下成形テーブルの駆動機構は、空圧駆動式が主流である。
ニ　熱板加熱式成形機のシート加熱は、温度管理された熱板にシートを密着させ直後に反転成形する方式である。

［B群（多肢択一法）］

12 真空成形機における付帯設備の仕様として、誤っているものはどれか。

イ エアーフィルタの目的は、ゴミ・埃等を取り除き、清浄な空気にするものである。

ロ 空圧・真空タンクは、定められた容量を有し、圧力低下等の不安定要素を防止するものである。

ハ エアーシリンダは、一般的に大きいものは、クッション機能を必要としていない。

ニ オイラは、機器に供給する圧縮空気の流れを利用して、必要箇所に潤滑油を送る装置である。

13 油圧系統に関する記述として、適切でないものはどれか。

イ 油圧ポンプは、回転式と往復式の２種類に分類される。

ロ 油圧シリンダは、油圧によってシリンダを往復運動させる装置である。

ハ ピストンポンプは、ピストンの往復運動で油圧力を発生させる装置である。

ニ 歯車ポンプは、ケーシング内にある2個のマユ型ロータが、軸端の駆動ギアにより互いに反対方向に同期回転する装置である。

14 真空成形機の電気系統、制御系統の要素及び機能に関する記述として、誤っているものはどれか。

イ 電磁接触器は、コイルに電源を投入すると電磁石によりバネ力に勝る吸引力が発生し、接触子が回路を接続し、二次側へ電源を供給する機器である。

ロ 温度調節計をはじめとした各種制御に用いられる制御方式として、PID 制御がある。

ハ CPU とは、中央演算処理装置のことである。

ニ エンコーダとは、コンピュータの速さを計る測定器である。

15 シーケンス制御に関する記述として、適切なものはどれか。

イ 検出器やセンサーからの信号を読み取り、目標値と比較しながら設備機器を運転し、目標値に近づける制御

ロ あらかじめ定められた順序又は手続きによって制御の各段階を逐次進めて行く制御

ハ 時間的に変化する量に対して、コンピュータにあらかじめ記憶させたプログラムに従って行う制御

ニ 入力値の制御を出力値と目標値との偏差、その積分及び微分の三つの要素によって行う制御

［B群（多肢択一法）］

16 真空成形機の付属機器に関する記述として、誤っているものはどれか。

イ 集積装置とは、シート成形後にプレス等で打ち抜いた製品を積み重ねる装置のことをいう。

ロ 表面処理塗布装置とは、シート原反にラミネートフィルムを連続で溶着し、貼り合わせる装置のことをいう。

ハ ダイプレスとは、平面の台に置かれたシート状の素材に、金属製の刃物を押し当てることで裁断する装置のことをいう。

ニ チラーとは、冷凍機を内蔵し、金型又は設備の一部などを冷却、温度制御する装置のことをいう。

17 真空成形機の付帯機器に関する記述として、誤っているものはどれか。

イ 金属検出機とは、電磁誘導の原理を応用し、磁界の乱れをとらえて製品に混入した金属性異物を検出する装置のことをいう。

ロ 粉砕機とは、打ち抜き後のシートや品質不良の製品を細かく粉砕するための装置のことをいう。

ハ 金型温度調節装置とは、媒体を一定の設定温度に保ち、金型の温度を調節して安定させる装置のことをいう。

ニ 除塵（じょじん）装置とは、放電電極に高電圧を印加し静電気を中和することで、塵（ちり）(異物)が製品に付着するのを防止する装置のことをいう。

18 熱板圧空成形用金型の構成要素として、誤っているものはどれか。

イ 成形機取り付けベース

ロ キャビティ

ハ プラグベースに水冷回路を設けた水冷板

ニ クランプ枠

19 真空成形用抜型に関する記述として、正しいものはどれか。

イ ダイ・パンチ式のストリッパー装置は、打ち抜かれた成形品を下方に突き出す装置である。

ロ ダイ・パンチ式の材質は、主にアルミ合金である。

ハ ダイ・パンチ式のノックアウト装置は、成形品を打ち抜いた後のスクラップをパンチから外すための装置である。

ニ トムソン式は、曲げ加工したトムソン刃を使用した抜型で、刃先を当板に押し当てることにより、成形品を切断するものである。

20 型の吊りこみ時における吊り索(スリング)の張り角の目安として、最も適切なものはどれか。

イ 60度以下とする。

ロ 75度以下とする。

ハ 90度以下とする。

ニ 120度以下とする。

［Ｂ群（多肢択一法）］

21 材料シートの材質と食品用容器として使われる時の耐熱温度の組合せとして、誤っているものはどれか。

	【シート材質】	【耐熱温度】
イ	OPS	約 80℃
ロ	PSP	約 60℃
ハ	PP	約 110℃
ニ	A-PET	約 60℃

22 シートのドローダウン性、成形収縮率、材料の分子量、結晶性に関する記述として、誤っているものはどれか。

イ 同じ材料では、分子量の大きい材料は、MFR が大きい。

ロ 同じ材料では、MFR が小さい方が、ドローダウンは小さい。

ハ 一般的には、非晶性樹脂の方が、結晶性樹脂に比してドローダウンは小さい。

ニ 一般的には、非晶性樹脂の方が、結晶性樹脂に比して成形収縮率は小さい。

23 日本産業規格(JIS)によれば、プラスチックの略語、製品の原料表示の方法として、誤っているものはどれか。

イ プラスチックの記号、略語は、基本ポリマーについてのみ示されており、配合される充填材や強化材については示されていない。

ロ 記号及び略語は、大文字だけを用いる。

ハ 基本ポリマーは、ハイフンで区切って密度や耐衝撃性等の特性を加えることができる。

ニ プラスチック製品の原料表示法においては、ポリマーの種類を＞PP＜のように、“＞”と“＜”で囲んで表示する。

24 日本産業規格(JIS B 0001)によれば、規定される寸法補助記号の記号、呼び方、意味の組合せとして、誤っているものはどれか。

	【記号】	【呼び方】	【意味】
イ	φ	“まる”又は”ふぁい”	180°を超える円弧の直径又は円の直径
ロ	Sφ	“えすまる”又は“えすふぁい”	180°を超える球の円弧の直径又は球の直径
ハ	C	“しー”	30°の面取り
ニ	t	“てぃー”	厚さ

［B群（多肢択一法）］

25 食品衛生法関係法令、家庭用品品質表示法関係法令、容器包装に係る分別収集及び再商品化の促進等に関する法律関係法令に関する記述として、誤っているものはどれか。

イ　食品衛生法の対象は、食品及び添加物、器具及び容器包装、乳幼児用おもちゃ、洗浄剤などである。

ロ　食品衛生法の対象のうち、容器包装については、ホルムアルデヒドを原料とする合成樹脂が規定されており、ポリスチレンやポリプロピレンは対象外である。

ハ　家庭用品品質表示法による合成樹脂加工品のなかで、皿等、容器類は、原料としての合成樹脂の種類、耐熱温度、取扱い上の注意の表示が義務付けられている。

ニ　容器包装に係る分別収集及び再商品化の促進等に関する法律に定められている容器包装の対象には、ペットボトルの他、主としてプラスチック製の包装容器であってペットボトル以外のものとしてほとんどすべてのプラスチック容器包装が規定されている。

令和５年度 技能検定
１級 プラスチック成形 学科試験問題
（真空成形作業）

1. 試験時間　1時間40分
2. 問題数　50題(A群25題、B群25題)
3. 注意事項

(1) 係員の指示があるまで、この表紙はあけないでください。

(2) 答案用紙(真偽法と多肢択一法の併用)に検定職種名、作業名、級別、受検番号、氏名を必ず記入してください。

(3) 係員の指示に従って、問題数を確かめてください。それらに異常がある場合は、黙って手を挙げてください。問題はA群(真偽法)とB群(多肢択一法)とに分かれています。

(4) 試験開始の合図で始めてください。

(5) 解答の方法(真偽法と多肢択一法の併用)は次のとおりです。

イ.　A群の問題(真偽法)は、一つ一つの問題の内容が正しいか、誤っているかを判断して解答してください。

ロ.　B群の問題(多肢択一法)は、正解と思うものを一つだけ選んで、解答してください。二つ以上に解答した場合は誤答となります。

ハ.　答案用紙(マークシート用紙)へ解答する際は、答案用紙に記載されている注意事項に従ってください。

ニ.　答案用紙の解答欄は、A群の問題とB群の問題とでは異なります。所定の解答欄に、試験問題の題数に応じて解答してください。解答欄はA群は50題まで、B群は25題まで解答できるようになっています。

(6) 電子式卓上計算機その他これと同等の機能を有するものは、使用してはいけません。

(7) 携帯電話、スマートフォン、ウェアラブル端末等は、使用してはいけません。

(8) 試験中、質問があるときは、黙って手を挙げてください。ただし、試験問題の内容、漢字の読み方等に関する質問にはお答えできません。

(9) 試験終了時刻前に解答ができあがった場合は、黙って手を挙げて、係員の指示に従ってください。

(10) 試験中に手洗いに立ちたいときは、黙って手を挙げて、係員の指示に従ってください。

(11) 試験終了の合図があったら、筆記用具を置き、係員の指示に従ってください。

［A群（真偽法）］

1　次の成形法と用語の組合せは、いずれも正しい。

	［成形法］	［用語］
(1)	カレンダー成形	金型
(2)	ブロー成形	パリソン
(3)	真空成形	厚さ分布
(4)	インフレーション成形	サーキュラーダイ

2　PEは、一般に、低温時における衝撃強さが、PPよりも劣る。

3　Rオームの抵抗にIアンペアの直流電流を流した場合、電力Wは下記の式で表される。
$W = R \times I^2$

4　np 管理図は、検査個数が一定でない場合、不良率で管理するときに用いられる。

5　粉末消火器には、普通火災用、油火災用及び電気火災用があり、それぞれ黄色、白色、青色の下地色で表示される。

6　引張強さが大きい材料の成形には、真空圧空成形よりも真空成形の方が適している。

7　プラグアシスト成形において、離型シワが発生しやすい成形品などは、開放回路を用いて大気開放すると、離型シワが改善することがある。

8　プラグアシスト成形において、ヒータ温度を低くしていくと、成形品の側壁が薄くなる現象が発生しやすくなる。

9　成形品のフラットなフランジ部にエア溜まりが発生したので、金型フランジ部のサンドブラスト加工を除去した。

10　成形品の二次加工のカーリング(リミング)では、容器の縁を曲げ加工する際、セラミックヒータやスクリュー内部のカートリッジヒータなどで容器全体に熱を加える。

11　マイクロメータは、ラチェットストップを使い、一定の測定圧で測定する。

12　材料の歩留り率を上げるには、型間寸法を、できるだけ小さくするとよい。

13　スクリュー式のコンプレッサ(圧縮機)は、脈動が大きいが、高圧に向いている。

14　油圧の流量調整弁は、入口圧力又は背圧の変化に関係なく、流量を所定の値に保持するために用いられる。

［A群（真偽法）］

15　ヒューズは、定格以上の大電流から電気回路を保護し、加熱や発火といった事故を防止する電気部品である。

16　光電センサは、近接スイッチの一種である。

17　金型温度調節装置は、金型の設定温度によって、水、油、エチレングリコールなどの熱媒体を用いる。

18　樹脂製プラグで使用される材料の代表的なものに、ケミカルウッド、シンタクチックフォーム、ポリアセタール樹脂、ポリアミド樹脂などがある。

19　ダウンホルダー(ロケーター)は、同時抜成形機の成形時において、加熱されたシートを下型の雄刃とで挟み込みクランプする機構である。

20　金型を保管する際、抜型には防錆(せい)剤を塗布してはならない。

21　ハイインパクトポリスチレン(HIPS、PS-HI)のアイスクリーム容器が、耐衝撃テストで割れたため、ブタジエンゴムやスチレン－ブタジエンゴムの配合量を増やし、耐衝撃性を向上させた。

22　温度、湿度の変化によって製品の表面に細かい水滴が付き、内容物が見にくくなることを防ぐためには、シートに防曇剤を塗布したり、原料に防曇剤を練り込むことが効果的である。

23　日本産業規格(JIS)によれば、プラスチック製品を他の事業者に譲渡する場合、化学物質又はそれを含有する製品の特性及び取扱いの情報の提供は、一般に、SDS(安全データシート)の提供によることと規定されている。

24　日本産業規格(JIS)によれば、製図法で、下図のようにその一部分だけを断面図とすることはできない。

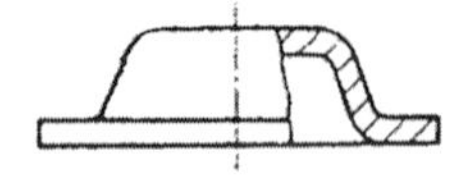

25　容器包装に係る分別収集及び再商品化の促進等に関する法律によれば、容器を製造する中小規模以上の事業者は、原則として、リサイクルの義務を負う。

［B群（多肢択一法）］

1　熱板圧空成形の特徴に関する記述として、誤っているものはどれか。
　イ　熱板圧空成形法は、均一に温度管理された熱板にシートを密着させて加熱する。
　ロ　熱板圧空成形は、シート加熱と成形が同一ステーションで行われているため、プラグアシストなど成形上の補助手段が使用できず、雌型成形(ストレート成形)又はマッチモールド成形しかできない。
　ハ　熱板圧空成形は、シートの加熱終了直後に熱板側から圧空を吹き、成形を行う。
　ニ　熱板圧空成形は、片面加熱によってシートを加熱するため、一般に、シート厚みが 0.5 mm を超える成形には不適である。

2　各成形法に関する記述として、誤っているものはどれか
　イ　真空成形は、軟化したシートを大気圧によって型に密着させ、成形する方法である。
　ロ　プラグアシスト成形は、深絞りの成形品にも使用されている。
　ハ　真空成形は、OPS シートの成形に適している。
　ニ　雌雄抜刃タイプの同時抜圧空成形の成形品は、真空成形と比較して、耐熱性が低下する。

3　次のうち、真空成形(真空圧空成形)機のヒータの温度を設定する際に考慮する項目として、最も適切なものはどれか。
　イ　加熱時間、シート材質及び製品形状
　ロ　真空時間、シート材質及び製品形状
　ハ　加熱時間、シート材質及びシート材厚
　ニ　真空時間、シート材質及びシート材厚

4　真空成形(真空圧空成形)機のヒータの温度設定における、一般的なヒータバランスの取り方に関する記述として、適切なものはどれか。
　イ　1ショット内のヒータ温度設定は、外周部を高めに設定することが多い。
　ロ　1ショット内のヒータ温度設定は、入口側も出口側も低い設定とする。
　ハ　1ショット内のヒータ温度設定は、型の形状に依存してランダムに設定する。
　ニ　1ショット内のヒータ温度設定は、中央部を高めに設定することが多い。

5　真空度(真空圧力)、圧空圧力に関する記述として、誤っているものはどれか。
　イ　圧空圧力が高い方が、冷却時間の短縮に効果がある。
　ロ　真空度が低くなるほど、型再現性が悪くなる。
　ハ　熱板圧空成形において、下圧空圧力が高過ぎると、熱板孔跡が成形品に転写されやすくなる。
　ニ　圧空圧力が高いほど、型再現性がよくなる。

［B群（多肢択一法)］

6　成形不良の対策として、適切でないものはどれか。

イ　真空・プラグアシスト・上型成形で、ドローダウンが大きいため、加熱温度を下げた。

ロ　真空圧空・プラグアシスト・上型成形で、底部厚みが厚過ぎる不良対策として、プラグの高さを低くした。

ハ　雌雄抜刃タイプの同時抜圧空成形で、全体的にフランジ厚みが薄い不良対策として、プラグタイミングを遅くした。

ニ　熱板圧空・雄型成形で、成形品の蓋のアンダー部の裾がめくれる不良対策として、ノックアウトタイミングを早くした。

7　真空・プラグアシスト・上型成形において、上型先行の成形条件下で、製品の底面の肉厚が薄い不良対策として、適切なものはどれか。

イ　下テーブル速度を速くした。

ロ　上テーブル速度を速くした。

ハ　下テーブルタイミングを遅くした。

ニ　上テーブルタイミングを早くした。

8　1ショットの中央付近に発生するフランジ部のブリッジ防止対策として、誤っているものはどれか。

イ　加熱過度にならないようにする。

ロ　プラグの速度を遅くする。

ハ　キャビティの排気速度を遅くする。

ニ　真空タイミングを早めにする。

9　トリミング機の取扱いに関する記述として、適切なものはどれか。

イ　オイラーに使われるオイルには、粘度の高いタービン油が用いられる。

ロ　金型キャリアバーは、抜型交換のときに用いられる。

ハ　可動盤の下死点(下限)は、360° である。

ニ　グリースニップルとは、グリースガンの先端の口金のことである。

10　マイクロメータの保管方法として、適切でないものはどれか。

イ　アンビルとスピンドルの間は、隙間を開けずに保管する。

ロ　専用ケースに入れて保管する。

ハ　直射日光の当たらない場所で保管する。

ニ　清潔にし、湿度の低い場所で保管する。

［B群（多肢択一法）］

11　真空成形機の各装置の構造、機能に関する記述として、適切でないものはどれか。
　イ　離型装置には、離型用エア回路とノックアウト装置のほか、離型用エア回路とノックアウト装置を併用したものがある。
　ロ　制御装置は、電源制御盤や操作盤、SSR盤などの組合せで構成されている。
　ハ　安全装置には、リミットスイッチで作動するインターロックや安全棒などがある。
　ニ　出口クランプ装置は、加熱中のシートと成形中又は成形後の成形品間で及ぼす影響を防止する装置で、加熱装置と成形プレスの間に設けられる。

12　同時抜き圧空(真空)成形に関する記述として、誤っているものはどれか。
　イ　成形とトリミングを同工程で(同時に)行う成形法である。
　ロ　キャビティ側(パンチ側)が上型、プラグ側(ダイ側)が下型で構成される。
　ハ　パンチは雄(オス)刃、ダイは雌(メス)刃とも呼ばれ、パンチとダイのクリアランスは数μmである。
　ニ　主にカップ形状やヨーグルト容器・ゼリー容器等を成形する成形法である。

13　真空成形機の空圧系統の要素又は機能に関する記述として、誤っているものはどれか。
　イ　エアドライヤは、コンプレッサで作られた圧縮空気の水分及び水滴を除去し、乾燥した空気を製造する装置である。
　ロ　フィルタは、ごみやドレン(水分)を除去し、清浄な圧縮空気を供給する装置である。
　ハ　エアレシーバタンクは、安定していない圧縮空気を装置の仕様に合わせ、適切な圧力に調節し安定させる装置である。
　ニ　オイラは、空気圧機器に供給する圧縮空気の流れを利用し、必要箇所に潤滑油を送る装置である。

14　真空成形機における油圧系統に関する記述として、誤っているものはどれか。
　イ　油圧ポンプには、ギアポンプやベーンポンプ、ピストンポンプ等がある。
　ロ　油圧シリンダには、単動形や複動形、特殊形等がある。
　ハ　圧力制御弁には、リリーフ弁や減圧弁、シーケンス弁、カウンタバランス弁等がある。
　ニ　方向制御弁には、絞り弁や流量調整弁、ストップ弁等がある。

15　電気系統、制御系統の要素又は機能に関する記述として、誤っているものはどれか。
　イ　サーボモータは、電子制御によって回転角や回転速度を制御するモータである。
　ロ　インバータは、モータの電源周波数を自在に変えることで、モータの回転数を制御する装置である。
　ハ　カウンタは、回転したり水平移動したりするさまざまな機器・装置の移動方向や移動量、角度を検出する機器である。
　ニ　プリセットカウンタは、カウント設定値になると出力を出す制御機器である。

［Ｂ群（多肢択一法）］

16　電気系統、制御系統の要素又は機能に関する記述として、誤っているものはどれか。

イ　タイマは、時間要素を持ち、セットされた時間経過後、出力部が動作する制御機器である。

ロ　リミットスイッチは、マイクロスイッチを封入し、機械検出をアクチュエータを介して動作させる電気スイッチである。

ハ　近接スイッチは、可動部に直接接触し、確実に動作させる位置検出用スイッチである。

ニ　光電センサは、光のさまざまな性質を利用し、物体の有無や表面状態の変化などを検出するセンサである。

17　静電気除去(除電)に関する記述として、誤っているものはどれか。

イ　静電気除去装置は、製品に帯電した静電気を中和する装置で、＋イオン型や－イオン型、＋－交互型などがある。

ロ　湿度を下げると静電気の電圧は下がる傾向にあるので、静電気除去に有効である。

ハ　静電気が溜まる物質を帯電体と呼び、絶縁体は帯電体になりやすい。

ニ　静電気の除去は、製品のゴミ付着防止や、集積装置で積み重ねる際のトラブル防止につながる。

18　真空成形用金型に関する記述として、誤っているものはどれか。

イ　真空圧空成形用金型は、プラグ側からの圧空により高い圧力がかかるため、それに耐え得る強度構造となっている。

ロ　熱板圧空成形用金型は、キャビティ側のみの金型である。成形時は、キャビティ側から真空圧力、熱板側から圧空圧力がかかるため、それに耐え得る強度を持った構造となっている。

ハ　マッチモールド成形は、発泡したシートをキャビティとプラグで圧縮して成形を行う。そのため、マッチモールド用金型のキャビティの真空孔は、φ0.5 mm 以下となっている。

ニ　同時抜圧空成形用金型のパンチホルダーには、水冷回路が設けられている。

19　ダイ・パンチ式トリミング抜型の仕様設計に関する記述として、適切なものはどれか。

イ　抜き刃ピッチは、キャビティの配列ピッチと同じピッチで設定する。

ロ　ダイ・パンチに使用する鋼材は、ダイの方を硬くする必要がある。

ハ　製品の打抜きせん断力を軽減する方法の一つに、パンチの段差加工がある。

ニ　抜き間寸法は、一般に、角形状の製品よりも丸形状の製品の方を、広く設定する。

［B群（多肢択一法)］

20　国内の金型メーカーの工場で行う完成検査の検査項目として、誤っているものはどれか。
　イ　金型各部分の寸法検査
　ロ　冷却水系統の水漏れ検査
　ハ　装置の作動状態
　ニ　テスト成形による完成検査

21　プラスチック材料及びそのシートに関する特徴として、誤っているものはどれか。
　イ　ポリスチレンは耐油性に優れる。
　ロ　ポリプロピレンの共重合体のランダムコポリマーは、ホモポリマーに比して透明性に優れる。
　ハ　ポリエチレンテレフタレートのガラス転移温度は70 ℃付近であり、常温では非晶状態を保つことができる。
　ニ　エチレンビニルアルコール共重合体は、プラスチックのなかでは、きわめてガスバリア性に優れている。

22　材料のドローダウン性に関する記述として、誤っているものはどれか。
　イ　PP のドローダウンの改良として、HDPE をブレンドすることがある。
　ロ　材料の溶融張力は、ドローダウン性の指標として使われる。
　ハ　材料のドローダウン性に強く影響する分子量の指標として、PET では MFR の指標が使われることが多い。
　ニ　ドローダウン性と押出し成形性のバランスをとる場合、分子量分布を調整する。

23　日本産業規格(JIS)によれば、プラスチック材料の略語と材料名の組合せとして、誤っているものはどれか。

	［略語］	［材料名］
イ	PVDC	ポリ塩化ビニル
ロ	PET	ポリエチレンテレフタレート
ハ	PP	ポリプロピレン
ニ	ABS	アクリロニトリル－ブタジエン－スチレンプラスチック

24　日本産業規格(JIS)によれば、機械製図で用いられる線の名称と線の種類の組合せとして、誤っているものはどれか。

	［線の名称］	［線の種類］
イ	外形線	太い実線
ロ	中心線	細い一点鎖線
ハ	引出線	細い破線
ニ	ハッチング	細い実線で、規則的に並べたもの

［Ｂ群（多肢択一法）］

25　食品衛生法関係法令によれば、ポジティブリスト制度における情報伝達に関する記述として、誤っているものはどれか。

イ　販売、製造又は輸入する営業者が、販売の相手方に対して行う合成樹脂製の容器包装の情報は、情報伝達の対象となる。

ロ　伝達する情報には、個別物質の開示が義務付けられている。

ハ　情報の伝達には、営業者間の契約締結時の仕様書等、入荷時の品質保証書等の活用も可能である。

ニ　情報の伝達には、業界団体の確認証明書等、適合性を傍証する書類等の活用も可能である。

令和４年度 技能検定
１級 プラスチック成形 学科試験問題
（真空成形作業）

1. 試験時間　1時間40分
2. 問題数　50題(A群25題、B群25題)
3. 注意事項
   (1) 係員の指示があるまで、この表紙はあけないでください。
   (2) 答案用紙(真偽法と多肢択一法の併用)に検定職種名、作業名、級別、受検番号、氏名を必ず記入してください。
   (3) 係員の指示に従って、問題数を確かめてください。それらに異常がある場合は、黙って手を挙げてください。問題はA群(真偽法)とB群(多肢択一法)とに分かれています。
   (4) 試験開始の合図で始めてください。
   (5) 解答の方法(真偽法と多肢択一法の併用)は次のとおりです。
      イ. A群の問題(真偽法)は、一つ一つの問題の内容が正しいか、誤っているかを判断して解答してください。
      ロ. B群の問題(多肢択一法)は、正解と思うものを一つだけ選んで、解答してください。二つ以上に解答した場合は誤答となります。
      ハ. 答案用紙(マークシート用紙)へ解答する際は、答案用紙に記載されている注意事項に従ってください。
      ニ. 答案用紙の解答欄は、A群の問題とB群の問題とでは異なります。所定の解答欄に、試験問題の題数に応じて解答してください。解答欄はA群は50題まで、B群は25題まで解答できるようになっています。
   (6) 電子式卓上計算機その他これと同等の機能を有するものは、使用してはいけません。
   (7) 携帯電話、スマートフォン、ウェアラブル端末等は、使用してはいけません。
   (8) 試験中、質問があるときは、黙って手を挙げてください。ただし、試験問題の内容、漢字の読み方等に関する質問にはお答えできません。
   (9) 試験終了時刻前に解答ができあがった場合は、黙って手を挙げて、係員の指示に従ってください。
   (10) 試験中に手洗いに立ちたいときは、黙って手を挙げて、係員の指示に従ってください。
   (11) 試験終了の合図があったら、筆記用具を置き、係員の指示に従ってください。

［A群（真偽法）］

1　下記の成形法と、成形できる成形品との組合せは、いずれも正しい。

	[成形法]	[成形品]
（1）	ブロー成形法	飲料用ペットボトル
（2）	インフレーション成形法	ポリ袋
（3）	射出成形法	テレビキャビネット
（4）	真空成形法	卵パック

2　ポリプロピレン(ホモポリマー)は、平均分子量が大きい方が、加熱溶融時に流れにくい。

3　電気設備に関する技術基準において、電圧は、低圧、高圧及び特別高圧の3つに区分される。

4　パレート図とは、項目別に層別して出現度数の小さい順に棒グラフで示したものをいう。

5　労働安全衛生法関係法令によれば、労働災害とは、労働者の就業に係る建設物、設備、原材料、ガス、蒸気、粉じん等により、又は作業行動その他業務に起因して、労働者が負傷し、疾病にかかり、又は死亡することをいう。

6　プラグアシスト成形において、離型シワが発生し易い成形品などでは、開放回路を用いて大気開放すると改善することがある。

7　真空成形の成形条件として、真空度が低いと、柔らかくなったシートを金型に吸引する力が大きくなり、成形品の型再現性がよくなる。

8　厚さ 1.4 mm の PP シートを成形する場合、サイクルアップのためにヒータ温度を非常に高温にして、PP シートを急激に加熱すべきではない。

9　PSP マッチモールド成形の不良である「ナキ」(成形品のフランジ部や玉縁部分の PSP の割れやこぶ状のものが発生する不良)の原因の一つに、材料の養生不足が挙げられる。

10　二次加工のカーリングで使用されるカーリングマシンのスクリューの溝は、曲げ加工ゾーンでは、出口側に向かうほど溝幅が広くなっている。

11　成形収縮の計算式は、$S=(L_1-L_0)\div L_0$ である。
(S＝成形収縮、L_0＝金型寸法、L_1＝製品寸法)

12　歩留り率とは、良品率のことである。

［A群（真偽法）］

13　空圧複動シリンダの速度を制御する方法は、一般に、メータアウト制御が用いられる。

14　流量調整弁は、入口や出口ポートの圧力変化に関係なく、流量を所定の値に保持できる(流量制御)弁である。

15　PID制御とは、P(比例)制御、I(積分)制御、D(微分)制御を組み合わせた制御で、それぞれを組み合わせたPI制御やPD制御もある。

16　リミットスイッチは、アクチュエータを介して作動体の動きを、封入されたマイクロスイッチに伝達して電流を開閉するものである。

17　金型温度調節装置とは、水や油などの熱媒体を加熱又は冷却して、適温を維持しながらポンプで強制的に成形金型内に圧入し、熱媒体と成形金型の間において熱交換させ、成形品を固化させる装置である。

18　水冷板式とキャビティ直冷式の金型の温調方式では、水冷板式の方が冷却効果は大きいが、構造が複雑となり金型コストが高額となるため、小ロット生産には不向きである。

19　同時抜圧空成形は、成形とトリミングを同時に行うのが特徴で、キャビティ側が上型、プラグ側が下型で構成される。

20　金型の検査は、製品図や金型仕様書に適合しているかを検査するだけでなく、成形テストまで必要である。

21　帯電による粉末状内容物の充填トラブルに対する防止対策として、容器の原料に帯電防止剤を配合すると効果的である。

22　PP 製品の製造において、耐寒性が不十分なので、LDPE の配合を減らした。

23　日本産業規格(JIS)によれば、プラスチック製品への原料表示方法で、プラスチック再生材を含む場合、>ABS(REC)< や >ABS(REC30)< のように表示することができる。

［A群（真偽法）］

24　日本産業規格(JIS)によれば、次の図中の寸法数字は、弧の長さ寸法を表す。

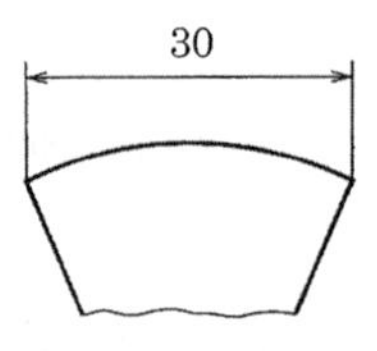

25　容器包装に係る分別収集及び再商品化の促進等に関する法律によれば、容器包装とは、商品の容器及び包装であって、商品が消費され、又は商品と分離された場合に不要になるものをいう。

［B群（多肢択一法）］

1　真空成形法に関する記述として、誤っているものはどれか。
　イ　一般に、真空成形法より真空圧空成形法の方が、ヒータの加熱温度が低い。
　ロ　一般に、真空成形法より真空圧空成形法の方が、冷却時間が短い。
　ハ　一般に、真空成形法より真空圧空成形法の方が、サイクル時間が短い。
　ニ　一般に、真空成形法より真空圧空成形法の方が、型再現性が悪い。

2　成形方法と用途の組合せとして、適切でないものはどれか。

	[成形方法]	[用途]
イ	熱板圧空成形	OPS の浅絞りの蓋
ロ	同時抜圧空成形	HIPS の深絞りカップ
ハ	真空成形	透明 PP の深絞りカップ
ニ	真空圧空成形	細かい模様や深いリブのある深絞り容器

3　真空度(真空圧力)、圧空圧力に関する記述として、誤っているものはどれか。
　イ　圧空圧力が高い方が、冷却時間の短縮に効果がある。
　ロ　真空度が低くなるほど、型再現性が良くなる。
　ハ　熱板圧空成形において、上圧空圧力が高過ぎると熱板孔跡が成形品に転写されやすくなる。
　ニ　圧空圧力が高いほど、型再現性が良くなる。

4　真空成形(真空圧空成形)機において、一般的な加熱不足による品質への影響として、誤っているものはどれか。
　イ　凹部のコーナーが丸くなるなど、型再現性が悪くなる。
　ロ　成形品の底部厚みが厚くなる。
　ハ　型表面の真空孔などの跡が成形品に出難くなる。
　ニ　成形品の熱変形温度が低くなる。

5　成形条件に関する記述として、正しいものはどれか。
　イ　一般に、真空圧空成形では、真空よりも圧空を早く入れる。
　ロ　マッチモールド成形において、冷却ブローを長くすると、成形品の変形を軽減できる。
　ハ　金型の温度が高めの場合、チルマークが発生し易い。
　ニ　真空度が高いと型再現性が悪くなる。

［B群（多肢択一法）］

6　成形不良の対策として、適切なものはどれか。

イ　真空・プラグアシスト・上型成形において、ドローダウンが大きいので下テーブルタイミングを遅くした。

ロ　真空圧空・プラグアシスト・上型成形において、底部厚みが厚過ぎる不良対策として、プラグの高さを高くした。

ハ　雌雄抜刃タイプの同時抜圧空成形で、全体的にフランジ厚みが薄い不良対策として、プラグタイミングを遅くした。

ニ　熱板圧空成形で蓋を成形中に、蓋のアンダー部の裾がめくれる不良対策として、ノックアウトタイミングを早くした。

7　成形不良の対策として、適切なものはどれか。

イ　熱板圧空成形で成形品平面部にブリッジが発生したため、熱板の温度を高くした。

ロ　PSP 深絞りカップ麺容器の成形で、エクボが発生したため、下テーブル閉じ速度を速くした。

ハ　深絞り容器の真空成形において、底部厚みが薄くなったため、プラグの突っ込み量を増やした。

ニ　PSP マッチモールド成形で、離型時に金型側に引っ張られ、成形品にシワが発生したため、テーブル開き速度を速くした。

8　真空圧空・プラグアシスト・上型成形で、ブリッジの不良対策として、適切でないものはどれか。

イ　圧空タイミングを遅くする。

ロ　真空タイミングを早くする。

ハ　下テーブル閉じ速度を遅くする。

ニ　チェーンレール幅拡張を広くする。

9　成形品の二次加工方法と、その内容として、誤っているものはどれか。

	[方法]	[内容]
イ	カーリング	製品の底部分を再加熱し、曲げ加工を行う方法。
ロ	印刷	成形された製品に印刷を施し加飾するもの。
ハ	ラベル貼り	ロール状のタックラベルを一枚ずつ繰り出し、成形された製品に貼り付け、加飾するもの。
ニ	穴開け	主に蓋にV・U字型の弁加工、又は穴を開ける加工方法。

10　次の成形材料のうち、成形収縮率が最も大きい材料はどれか。

イ　HDPE

ロ　A-PET

ハ　PLA

ニ　PP

［Ｂ群（多肢択一法）］

11　真空成形の種類又は構造に関する記述として、誤っているものはどれか。

イ　輻射加熱式の成形機には、成形テーブルへの金型取付けが、入り口基準のものとセンター基準のものがある。

ロ　輻射加熱式の成形機には、真空成形機、真空圧空成形機及び熱板圧空成形機がある。

ハ　上下成形テーブルの駆動機構には、空圧駆動式、油圧駆動式及びサーボモータ駆動式がある。

ニ　輻射加熱式同時抜き圧空成形機は、成形金型に打ち抜き構造が組み込まれ、成形と同時又は成形直後に金型の中で打ち抜きを行う。

12　フェイルセーフ装置の説明として、適切なものはどれか。

イ　誤った調整をした場合に、設備又は金型を破損させないための過負荷保護装置。

ロ　機器や電気回路を保護するために、圧力、温度、電圧、電流、漏電などを検出し、電気信号を出力する装置。

ハ　真空成形機の扉にリミットスイッチによるインターロックが設置され、運転中に扉を開くと、操作電源が遮断されて非常停止する装置。

ニ　内部にヒータとバイメタルが入っており、過負荷により電流上昇で発熱が動作域に達すると、接続を切断して回路を保護する装置。

13　真空成形機の空圧系統の要素と機能に関する記述として、誤っているものはどれか。

イ　コンプレッサは、気体を圧縮して圧力を高め、連続的に送り出す装置である。

ロ　エアドライヤは、圧縮空気を冷凍機で冷却して水蒸気を凝縮・液化し、ドレンとして排出後、そのまま乾燥した空気を送り出す装置である。

ハ　エアレシーバタンクには、コンプレッサで発生する脈動を防止する役目もある。

ニ　メインラインフィルタは、圧縮空気中のゴミや水、油を取り除き、使用に耐えるレベルの圧縮空気にする装置である。

14　油圧機器に関する記述として、誤っているものはどれか。

イ　レデューシングバルブは、圧力制御バルブには属さない。

ロ　可変容量型ポンプは、ポンプ１回転当たりの吐出量を変化させることができる。

ハ　リリーフバルブは、一次側の圧力が設定圧力になれば、作動油の一部又は全部をタンクに逃がす。

ニ　ソレイノイドバルブは、方向制御弁にも使われる。

［B群（多肢択一法）］

15　サーボモータに関する記述として、誤っているものはどれか。

イ　サーボモータには、角度、回転数を見るための検出器が取り付けられている。

ロ　アブソリュートのサーボモータは、電源 OFF 時に位置情報を保持していない。

ハ　サーボモータは、瞬間的に約 300 %の力を出すことができる。

ニ　通電中は、サーボモータが回っていない時も停止制御をしている。

16　制御系統の要素と機能に関する記述として、誤っているものはどれか。

イ　有接点リレー方式は、電磁リレーをスイッチとして利用し、制御する方式である。

ロ　無接点リレー方式は、トランジスタやICなどの半導体を用いた論理素子をスイッチとして利用し、制御する方式である。

ハ　PLCは、シーケンス制御専用のリレーを利用した制御装置である。

ニ　プログラム制御は、あらかじめ定められた変化をする目標値に追従させる制御である。

17　磁気現象を応用した金属検出機に関する記述として、誤っているものはどれか。

イ　金属検出機は、装置から電磁波が照射されており、金属が混入したサンプルが通過すると電磁波が変化する仕組みで金属を検出する装置である。

ロ　金属検出機は、主に、開口部を持つ検出ヘッド、被検査品を検出ヘッド内に導くためのベルトコンベア、装置全体を制御し検査結果を表示する指示器などにより構成される。

ハ　検出部の種類は、上下に分かれた同軸型と、一体になった対向型がある。

ニ　検出ヘッドの通過位置によって検出感度が異なり、上下の左右隅部は感度が高く、中央部は低い。

18　金型設計におけるプラグに関する記述として、誤っているものはどれか。

イ　PP など伸びやすい材料のプラグ形状は、先端部を細く、R 形状にした方がよい。

ロ　プラグの材質は、使用材料との滑り性を考慮して選定する。

ハ　PSP マッチモールド成形型のプラグ材質は、一般に、アルミが用いられる。

ニ　プラグに使用する材料のシンタクチック・フォームは、A-PET の成形専用に用いられる。

19　離型性を向上させるための金型表面処理として、誤っているものはどれか。

イ　エッチング処理

ロ　テフロン処理

ハ　タフラム処理

ニ　カニフロン処理

［B群（多肢択一法）］

20　金型及び抜型の保守管理に関する記述として、誤っているものはどれか。

イ　定期的なメンテナンスでは、一般に、真空孔の詰まりのメンテナンスが行われる。

ロ　同時抜圧空成形用金型は、スプリング交換を行う必要がない。

ハ　金型は、湿気の少ない換気のよい場所に保管する。

ニ　金型を保管する際に、金型内部に冷却水が残らないように水抜きをする。

21　OPS シートの特性に関する記述として、誤っているものはどれか。

イ　シート表面にシリコン水溶液を塗布する目的は、ブロッキングを防止するためである。

ロ　紫外線曝（ばく）露や経年変化によって、シート性能は低下する。

ハ　容器の曇りを防止するために使用される防曇材は、シート表面を疎水性にして水滴の生成をなくし、曇りを防止している。

ニ　シートに配向を与えることにより剛性が得られるため、シートを薄くすることができ、少ない材料で製造できる。

22　成形材料の物性、試験法、使い方に関する記述として、誤っているものはどれか。

イ　力を加えたときのたわみ量は、材料の曲げ弾性率と製品の厚み、形状などから求められる断面二次モーメントの積に比例する。

ロ　応力－ひずみ曲線(S-S 曲線)において、破壊伸びまでの曲線の下の面積が、耐衝撃強度の目安になる。

ハ　ガスバリア性とは、酸素などの気体の透過を防ぐ性質であり、内容物の酸化劣化の防止や、保香性などにとって重要である。

ニ　ヘーズは、光線の全透過量のうち、拡散した光の割合を示し、透明品の曇りの程度を表す。

23　日本産業規格(JIS)によれば、プラスチックの試験方法に関する記述として誤っているものはどれか。

イ　引張特性の試験は、材料特性を測定するものであり、プラスチックフィルムやシートの試験方法は規定されていない。

ロ　引張特性の試験における引張速度は、試験する材料の規格に従って設定することと規定されている。

ハ　耐熱性の指標となる荷重たわみ温度(DTUL)試験は、室温で同等な曲げ弾性率を持つ材料間の相対的特性を評価するが、実用上の耐熱性を表すものではない。

ニ　ガス透過性の試験方法に、差圧法及び等圧法がある。

［B群（多肢択一法）］

24　日本産業規格(JIS)によれば、製図法で用いられる線の名称と線の種類の組合せとして、誤っているものはどれか。

	[線の名称]	[線の種類]
イ	寸法線	細い実線
ロ	回転断面線	細い実線
ハ	想像線	細い二点鎖線
ニ	切断線	太い破線

25　食品衛生法関係法令によれば、次の記述のうち、誤っているものはどれか。

イ　容器包装を製造する営業者は、公衆衛生上必要な措置をとらなければならない。

ロ　原材料メーカーは、容器包装を製造する営業者が使用する原材料がポジティブリストに収載されていることを、容器包装の使用者に説明する義務がある。

ハ　食品衛生管理基準の対象となるのは、容器包装を製造・納入する業者のほか、容器包装の製造を委託されている協力業者も含む。

ニ　容器包装の製造事業者は、営業所の名称や所在地などの定められた事項を、都道府県知事へ届け出なければならない。

令和3年度技能検定

1級 プラスチック成形 学科試験問題

(真空成形作業)

1. 試験時間　1時間40分
2. 問題数　50題(A群25題、B群25題)
3. 注意事項

(1) 係員の指示があるまで、この表紙はあけないでください。

(2) 答案用紙(真偽法と多肢択一法の併用)に検定職種名、作業名、級別、受検番号、氏名を必ず記入してください。

(3) 係員の指示に従って、問題数を確かめてください。それらに異常がある場合は、黙って手を挙げてください。問題はA群(真偽法)とB群(多肢択一法)とに分かれています。

(4) 試験開始の合図で始めてください。

(5) 解答の方法(真偽法と多肢択一法の併用)は次のとおりです。

イ. A群の問題(真偽法)は、一つ一つの問題の内容が正しいか、誤っているかを判断して解答してください。

ロ. B群の問題(多肢択一法)は、正解と思うものを一つだけ選んで、解答してください。二つ以上に解答した場合は誤答となります。

ハ. 答案用紙(マークシート用紙)へ解答する際は、答案用紙に記載されている注意事項に従ってください。

ニ. 答案用紙の解答欄は、A群の問題とB群の問題とでは異なります。所定の解答欄に、試験問題の題数に応じて解答してください。解答欄はA群は50題まで、B群は25題まで解答できるようになっています。

(6) 電子式卓上計算機その他これと同等の機能を有するものは、使用してはいけません。

(7) 携帯電話、スマートフォン、ウェアラブル端末等は、使用してはいけません。

(8) 試験中、質問があるときは、黙って手を挙げてください。ただし、試験問題の内容、漢字の読み方等に関する質問にはお答えできません。

(9) 試験終了時刻前に解答ができあがった場合は、黙って手を挙げて、係員の指示に従ってください。

(10) 試験中に手洗いに立ちたいときは、黙って手を挙げて、係員の指示に従ってください。

(11) 試験終了の合図があったら、筆記用具を置き、係員の指示に従ってください。

［A群（真偽法）］

1 熱硬化性樹脂は、加熱することで流動状態をなし、金型内で冷却することで固化し、成形品を得る。

2 PMMAは、PEに比べて吸湿性の大きいポリマーである。

3 材質と長さが同じ太い電線と細い電線に、電流値が同じ電流を一定時間流した場合、発生する熱量は、細い電線の方が小さい。

4 *p*管理図は、工程を不良率で管理するための管理図である。

5 労働安全衛生法関係法令によれば、機械と機械との間又は機械と他の設備との間に設ける通路は、幅80cm以上としなければならない。

6 マッチモールド成形では、圧空を併用することがある。

7 テーブル閉じ速度を速くしても、成形品にブリッジが発生することはない。

8 プラグアシスト成形において、離型じわが発生し易い成形品などでは、開放回路を用いて大気開放すると改善することがある。

9 熱板圧空成形の不良であるレインドロップの対策として、不良が発生している付近の熱板の温度調整を行う。

10 カーリング加工で製品の縁部分を再加熱するスクリューの溝は、入口側から出口側に向かって徐々に広くなっていく。

11 製品の透明性を測定するのにヘーズメータが用いられるが、ヘーズの数値が大きいほど透明である。

12 製品の不良が多くなれば、材料使用量が増加し、歩留り率も増加する。

13 現在市販されている真空ポンプは多種多様であるが、真空成形では、ルーツ真空ポンプのみが使用される。

14 オイルクーラの取付け位置は、油温を上げるために全油量が通過するポンプ吐出口の直後が効果的である。

15 温度制御などで使用されるPID制御とは、相関動作、積分動作、微分動作を組み合わせた自動制御方式である。

［A群（真偽法）］

16 金属検出機は、振動やノイズの影響を受けて誤作動することがあるため、その日の作業を開始する前及び製品の切替時等に始業点検を確実に実施し、誤動作を防ぐ対策をしなければならない。

17 粉砕機は、素材により混ざらない材質もあるため、定めた素材のみを使用することにより、異物混入を防ぐことが基本である。

18 真空圧空成形金型における個別先行クランプ装置は、成形品の重量バラつきや偏肉を防止できる機能を持っている。

19 金型のノックアウト装置は、外周ノックアウト式と中子ノックアウト式があるが、成形品の形状によっては、両方を併用する場合がある。

20 金型のキャビティに施されているサンドブラストやテフロン処理は、長期間使用していると摩耗するので、定期的にメンテナンスすることが必要である。

21 高透明ポリプロピレン(PP)容器で、透明性を維持して耐衝撃性を改良するためには、メタロセン触媒による直鎖状ポリエチレン(LLDPE)を配合すると効果的である。

22 OPS シートの引張特性は、破断点に達する前に降伏点を示す。

23 MFR は、材料の流動性の目安として測定される簡易測定法のため、その測定法は、日本産業規格(JIS)に規定されていない。

24 日本産業規格(JIS B 0001)によれば、対象物が円形であることを示す場合は、直径記号“φ”を寸法数値の前に、寸法数字と同じ文字高さで記入すると規定されている。

25 騒音規制法関係法令によれば、特定施設には、原動機の定格出力が 7.5kw 以上の空気圧縮機が含まれる。

［B群（多肢択一法）］

1 成形法に関する記述として、誤っているものはどれか。

イ 熱板圧空成形は、印刷シートの柄を成形品に合わせる印刷合せの成形には欠かせない。

ロ ダウンホルダーを使用した同時抜き圧空成形は、成形品のフランジ厚み精度が良い。

ハ ドレープ成形は、成形後の離型が難しい。

ニ 下型成形は、ブリッジ、チルマークを防止するには有利な成形方法である。

2 成形法に関する記述として、誤っているものはどれか。

イ 熱板圧空成形は、圧空でシートを型に密着させるため、厚み0.8～1mmのシートの成形に適している。

ロ 真空圧空成形は、加熱軟化した熱可塑性樹脂シートを真空成形よりも強い力で成形型へ押し付け、密着させて成形できるので、真空成形より低めの温度でも成形できる。

ハ 雌型成形は、浅絞りに適しており、深絞りでは底面コーナ部が極端に薄くなる。

ニ プラグアシスト成形は、プラグの材質、デザイン、タイミング、スピードなどで肉厚分布を調整できるため、深絞りの成形品にも使用されている。

3 真空タイミングに関する記述として、正しいものはどれか。

イ プラグアシスト成形において、真空タイミングを早くすると底部の肉厚が厚くなる。

ロ ブリッジが発生した場合、真空タイミングを早くすると改善することがある。

ハ 雄型成形で、真空タイミングを早くすると底部の肉厚が薄くなる。

ニ 真空圧空のプラグアシスト成形では、真空のタイミングは肉厚分布に影響しない。

4 金型温度に関する記述として、誤っているものはどれか。

イ 温度が高めの場合、凹部のコーナがシャープに出るなど、型再現性が良くなる。

ロ 温度が低めの場合、チルマークが発生し易くなる。

ハ マッチモールド成形におけるPSPの深絞り成形の場合、プラグの温度を100℃以上にすることはない。

ニ 温度が低すぎると、金型が結露し易くなる。

5 真空(圧空)成形機における材料別の成形温度の目安として、正しいものはどれか。

	【材料】	【成形温度の目安】
イ	PP	140～200℃
ロ	A-PET	140～150℃
ハ	HIPS	170～200℃
ニ	PSP	150～170℃

［B群（多肢択一法）］

6　成形不良の対策として、適切なものはどれか。

イ　真空・プラグアシスト・上型成形において、ドローダウンが大きいので、下テーブルタイミングを遅くした。

ロ　真空圧空・プラグアシスト・上型成形において、底部厚みが厚すぎる不良対策として、プラグの高さを高くした。

ハ　雌雄抜刃タイプの同時抜圧空成形で、全体的にフランジ厚みが薄い不良対策として、プラグタイミングを遅くした。

ニ　熱板圧空成形で蓋を成形中に、蓋のアンダー部の裾がめくれる不良対策として、ノックアウトタイミングを早くした。

7　熱板圧空成形の不良であるブリッジの対策として、誤っているものはどれか。

イ　熱板温度を調整する。

ロ　キャビティ間に防止駒を設ける。

ハ　熱板側シートに離型剤を塗布する。

ニ　熱板のブラスト加工を再処理する。

8　PSP マッチモールド成形不良の原因と対策に関する組合せとして、誤っているものはどれか。

	【不良項目】	【原因】	【対策】
イ	偏肉	プラグによって適切に材料を伸ばせていない。	型閉じタイミング、真空タイミングを調整する。
ロ	デラミ	PSP ベース反のスキンに起因	発生個所のヒータ温度を下げる。
ハ	シワ	離型エアが強い。	離型時間を短くする、離型圧力を下げる。
ニ	中割れ	金型に接触して冷やされたシートが伸びず亀裂が発生	金型温度を調整する。

9　トリミング工程における不良の原因と主な対策に関する組合せとして、誤っているものはどれか。

	【不良項目】	【原因】	【主な対策】
イ	抜きズレ	抜型製品ガイドが不適当	案内ガイドの幅、抑え強さなどを調整する。
ロ	ヒゲ	抜型のクリアランスが広い。	刃のクリアランスを狭くする。
ハ	バリ	刃先、当板の摩耗	トムソン刃、当板を交換する。
ニ	シワ(底部)	底部強度不足	底部強度を強くする。

［Ｂ群（多肢択一法）］

10　成形材料別の成形収縮率(単位 1/1000)として、誤っているものはどれか。

	【材料】	【成形収縮率】
イ	HDPE	15～30
ロ	A-PET	2～4
ハ	PLA	3～5
ニ	PP	2～5

11　真空成形の輻射加熱式ヒータの寿命と応答性に関する記述として、誤っているものはどれか。

イ　セラミックヒータは、長寿命で汎用的に使用されるが、応答性が鈍い。
ロ　カーボンヒータは、応答性に優れるが、寿命が短い。
ハ　ハロゲンヒータは、長寿命であるが、応答性は鈍い。
ニ　ロッドヒータは、長寿命であるが、応答性は鈍い。

12　真空成形機の各装置の構造、機能として、適切なものはどれか。

イ　繰出装置は、シートの両端をグリップで挟み込み保持･搬送する方式が主流で、プラスチックの粉等の発生が少ない。
ロ　赤外線加熱のヒータは、空気を温めて、その熱伝導でシートを加熱する。
ハ　トグル機構は､二つのリンクとスライダから構成される倍力機構で､大きな型締力が得られる方式である。
ニ　テーブル駆動は、現在、空圧式と油圧式が一般的である。

13　真空成形機における付帯設備の予防保全に関する記述として、誤っているものはどれか。

イ　圧空タンクの保全として、自動ドレン排出が正常であることを確認した。
ロ　安定していない圧縮空気の圧力を適切な圧力にするため、レギュレータで調整した。
ハ　真空ポンプの定期点検において、規定時間に達したが、特段の不具合が生じていないため、定期のオーバーホールは延期した。
ニ　メーカによる定期点検が近かったが、コンプレッサから異音が生じたため、点検を前倒しした。

14　真空成形機の油圧装置に関する記述として、誤っているものはどれか。

イ　リリーフ弁とは、油圧が設定以上になると、油をタンクに逃がす装置である。
ロ　リターンフィルタは、オイルに含まれているゴミ等を除去する役目をする。
ハ　油圧回路の油圧よりも低い油圧で使用する必要がある場合、減圧弁を用いる。
ニ　油圧制御の方向制御弁の一つに、ストップ弁がある。

［B群（多肢択一法）］

15 真空成形機のタイマーリレー機能に関する記述として、誤っているものはどれか。

イ タイマーリレーは、電気的に与えられた入力信号により、予め定めた時間を経て出力(ON-OFF)信号を出す制御部品である。

ロ タイマーリレーの代表的な動作は、ONディレイ動作、OFFディレイ動作、フリッカ動作及びインターバル動作の4種類ある。

ハ OFFディレイ動作とは、入力信号を与えると、設定した時間の経過後にONになり、入力信号が切れると、同時にOFFになる動作である。

ニ フリッカ動作とは、所定の入力を加えている間、設定時間ごとにON-OFFを繰り返す動作をする。

16 真空成形機の制御系統に関する記述として、誤っているものはどれか。

イ シーケンス制御は、あらかじめ定められた順序又は手続きに従って、制御の各段階を逐次進めていく制御である。

ロ 縦書きのシーケンス図は、上下に電源ラインが引かれ、横書きのシーケンス図は、左右に電源ラインが引かれている。

ハ 縦書きのシーケンス図では、電磁石のコイルやランプの負荷は、スイッチ(接点)の下に配置されている。

ニ シーケンス図では、電気の供給源が直流の場合、プラス側の電源ラインがR、マイナス側がSで示され、交流の場合は、電源ラインがPとNで示される。

17 トリミングに関する記述として、誤っているものはどれか。

イ 製品の素材、要求品質、形状、生産量などに応じて、トリミング方法を決定する。

ロ 設備の精度、製品の素材、形状は、抜型の仕様を決定する際の判断要素となる。

ハ トムソン式は、ヒゲやバリが発生し易いシートのトリミングでも、その発生を防止できるメリットがある。

ニ ダイ・パンチ式刃を製作する際の仕様は、雄刃は軟らかく、雌刃は硬くする。

18 下図の熱板圧空成形用金型の基本構造において、図中のAの名称として、正しいものはどれか。

イ 圧空ボックス

ロ キャビベース

ハ 真空ボックス

ニ プラグベース

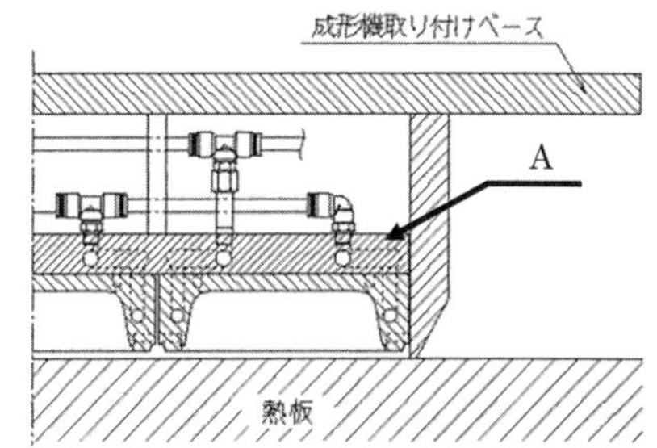

［B群（多肢択一法）］

19　金型設計における製品間寸法の決定要素に関する記述として、誤っているものはどれか。

イ　型のスクラップ部の冷却配管の有無によって決められる。

ロ　抜き刃の剛性によって決められる。

ハ　使用材料の材質によって決められる。

ニ　型形状(雄型、雌型)によって決められる。

20　金型の検査又は取扱いに関する記述として、誤っているものはどれか。

イ　金型の受入検査をする目的は、金型メーカの要求する仕様のものが、確実に製作されたかどうかをチェックすることである。

ロ　金型は、長期間使用していると汚れが発生するため、定期的に洗浄することが望ましい。

ハ　金型メーカで行う完成検査は、主として金型各部分の寸法検査や、金型仕上げ面の検査、冷却水系統の水漏れ検査、装置の作動状態が挙げられる。

ニ　金型の検査は、テスト成形による結果が最終の決め手となる。

21　プラスチック材料及びそのシートの特徴に関する記述として、誤っているものはどれか。

イ　ポリプロピレン(PP)の比重は、0.90～0.91 でプラスチックの中で最も軽い。

ロ　ハイインパクトポリスチレン(HIPS)は、スチレン-ブタジエンゴムなどを配合してポリスチレンの耐衝撃性を向上させたもので、白色や乳白色である。

ハ　非晶状態ポリエチレンテレフタレート(A-PET)のガスバリア性は、ポリプロピレン(PP)と同等である。

ニ　ポリ乳酸(PLA)は、植物由来のため、CO_2 を増やさないカーボンニュートラルな材料といわれている環境にやさしいプラスチックである。

22　シートのドローダウン性に関する記述として、誤っているものはどれか。

イ　一般的には、非晶性樹脂の方が、結晶性樹脂に比してドローダウンは小さい。

ロ　同じ材料であれば、MFR の大きい方がドローダウンは小さい。

ハ　分子中に長鎖分岐をもつ材料は、ドローダウンが小さい。

ニ　ドローダウン性と押出し成形性のバランスをとるには、分子量分布を広くすることが効果的である。

［B群（多肢択一法）］

23　日本産業規格(JIS)によれば、プラスチックの略語等に関する記述として、誤っているものはどれか。

イ　基本ポリマーは、略語が定められており、「PE-LD」のように、“－”で区切って密度や耐衝撃性などの特性を補足してもよい。

ロ　ポリマーブレンド又はアロイは、「PC/ABS」のように、その成分を重量分率の多い順に“ / ”で結ぶ。

ハ　単一の充填材又は強化材の表示は、「PP-GF30」のように、基本ポリマーの後に“－”で区切って、その種類及び必要に応じて形態又は構造を加え、続けてその質量分率を表記する。

ニ　充填材又は強化材を複数含むものは、「PA-(GF25+MD15)」のように、“( )”で囲む。

24　日本産業規格(JIS B 0001)によれば、製図で用いられる線の種類と用途の組合せとして、誤っているものはどれか。

	【名称】	【種類】		【用途】
イ	かくれ線	細い破線	--------	対象物の見えない部分の形状を表すために用いる。
ロ	中心線	細い一点鎖線	___.___	図形の中心を表すためなどに用いる。
ハ	想像線	細い二点鎖線	___..___	隣接部分及び工具・ジグなどの位置を参考に示すために用いる。
ニ	破断線	太い破線	--------	対象物の一部を破った境界、又は一部を取り去った境界を表すために用いる。

25　食品衛生法関係法令に関する記述として、誤っているものはどれか。

イ　食品衛生法の対象は、食品及び添加物、器具及び容器包装、乳幼児用おもちゃ、洗浄剤などである。

ロ　容器包装とは、食品又は添加物を入れ、又は包んでいる物で、食品又は添加物を授受する場合、そのままで引き渡すものをいう。

ハ　合成樹脂製の器具又は容器包装の規格は、すべてのプラスチックに対して、統一的に一般規格が適用される。

ニ　合成樹脂製の器具又は容器包装の規格の適合試験は、材質中の化学物質の含有量を測定する材質試験と、定められた溶出条件における化学物質の溶出量を測定する溶出試験からなる。

プラスチック成形

正解表

令和５年度　２級　実技試験（計画立案等作業試験）正解表
プラスチック成形（真空成形作業）

問題	正　　　　　　解

1

①	②	③	④	⑤	⑥	⑦
オ	ア	キ	エ	ウ	イ	カ

2

設問 1		設問 2	
①	②	①	②
210　mm	350　mm	355　mm	315　mm

3

設問 1	設問 2	設問 3
1.35　mm	1.34　mm	0.07　mm

4

設問 1		設問 2	
		①	②
ア	ウ	イ	カ
(順不同可)			

5

0.40　MPa

6

設問 1	設問 2
7,360　個	2.5　%

7

設問 1	設問 2			
	①	②	③	④
16.4　／1000	152.5　mm	93.5　mm	119.5　mm	89.6　mm

令和４年度　２級　実技試験（計画立案等作業試験）正解表
プラスチック成形（真空成形作業）

問題1

A	B	C
ア	ウ	イ

問題2

①	②	③	④	⑤
ウ	ア	キ	オ	カ

問題3

①	②	③	④	⑤
イ	ウ	ア	エ	オ

問題4

設問 1	設問 2	
A	①	②
イ	エ	ア

問題5

①	②	③	④	⑤
オ	エ	イ	ア	ウ

問題6

①	②	③	④
キ	カ	オ	イ

問題7

設問 1	設問 2			
	①	②	③	④
4.5　／1000	147.6	98.4	109.6	89.6

令和３年度　２級　実技試験（計画立案等作業試験）正解表
プラスチック成形（真空成形作業）

問題	正　解
1	①キ　②カ　③イ　④ア　⑤ウ　⑥エ　⑦オ
2	①エ　②イ　③カ　④ア
3	設問1 ① 315 mm　② 200 mm／設問2 ① 365 mm　② 150 mm
4	設問1 最大値 0.35 mm　最小値 0.30 mm／設問2 0.33 mm／設問3 0.05 mm
5	308.2 kN
6	設問1 225,600 個／設問2 2.9 %
7	設問1 16.4 ／1000／設問2 232.1 mm

問題1

①	②	③	④	⑤	⑥	⑦
キ	カ	イ	ア	ウ	エ	オ

問題2

①	②	③	④
エ	イ	カ	ア

問題3

設問1		設問2	
①	②	①	②
315 mm	200 mm	365 mm	150 mm

問題4

設問1		設問2	設問3
最大値	最小値		
0.35 mm	0.30 mm	0.33 mm	0.05 mm

問題5

308.2 kN

問題6

設問1	設問2
225,600 個	2.9 %

問題7

設問1	設問2
16.4 ／1000	232.1 mm

令和５年度　１級　実技試験（計画立案等作業試験）正解表
プラスチック成形（真空成形作業）

問題	正解									
1	設問 1			設問 2						
	①	②	③	1	2	3				
	ア	ウ	オ	イ	オ	カ				
2	①	②	③	④	⑤	⑥	⑦	⑧	⑨	⑩
	サ	セ	ソ	カ	キ	エ	オ	ク	ス	イ
3	①	②	③	④	⑤					
	キ	カ	オ	ア	エ					
4	設問 1	設問 2								
	67.3 kN	ア								
5	設問 1	設問 2								
	289.4 kN以上	エ								
6	設問 1	設問 2								
	51021 shots	12 日								
7	設問 1	設問 2	設問 3							
	5.8 mm^2	120 mm^2	21 倍							
8	設問 1	設問 2	設問 3							
	85.7 %	1.5 %	48.5 %							

令和４年度　１級　実技試験（計画立案等作業試験）正解表
プラスチック成形（真空成形作業）

問題1

設問1					
A	B	C	D	E	F
エ	キ	イ	カ	ウ	ア

設問2			
B	C	E	F
オ	ア	カ	イ

問題2

設問1				設問2			
①	②	③	④	ダイ・パンチ式		トムソン式	
ウ	エ	イ	ア	イ	エ	ア	ウ
				順不同可		順不同可	

問題3

①	②	③	④	⑤	⑥	⑦
キ	ア	オ	エ	カ	ウ	ケ

問題4

①	②	③	④	⑤	⑥
オ	カ	エ	コ	ア	ク
順不同可				順不同可	

問題5

①	②	③	④	⑤
ク	オ	イ	カ	キ

問題6

設問1	設問2
212 shots	7 本

問題7

設問1		
	製品寸法	列数
幅方向	108 mm	6 列
流れ方向	131 mm	6 列
取り数	36 個	

設問2		設問3
幅方向の型外寸法	流れ方向の型外寸法	
756 mm	896 mm	71.3 %

問題8

設問1	設問2	設問3
80.1 %	29,567.7 kg	59.1 %

令和3年度　1級　実技試験（計画立案等作業試験）正解表
プラスチック成形（真空成形作業）

<table>
<tr><th>問題</th><th>正　解</th></tr>
<tr><td>1</td><td>
<table>
<tr><th colspan="3">設問1</th><th colspan="3">設問2</th></tr>
<tr><th>A</th><th>B</th><th>C</th><th>1</th><th>2</th><th>3</th></tr>
<tr><td>カ</td><td>イ</td><td>ウ</td><td>オ</td><td>エ</td><td>ウ</td></tr>
</table>
</td></tr>
<tr><td>2</td><td>
<table>
<tr><th>①</th><th>②</th><th>③</th><th>④</th><th>⑤</th><th>⑥</th><th>⑦</th><th>⑧</th><th>⑨</th><th>⑩</th></tr>
<tr><td>オ</td><td>テ</td><td>キ</td><td>タ</td><td>ナ</td><td>ウ</td><td>カ</td><td>サ</td><td>チ</td><td>ア</td></tr>
</table>
</td></tr>
<tr><td>3</td><td>
<table>
<tr><th>設問1</th><th>設問2</th></tr>
<tr><td>0.0016</td><td>$\sqrt{0.00032}$ mm</td></tr>
</table>
</td></tr>
<tr><td>4</td><td>
<table>
<tr><th>設問1</th><th>設問2</th></tr>
<tr><td>94.2　kN</td><td>ア</td></tr>
</table>
</td></tr>
<tr><td>5</td><td>
<table>
<tr><th>設問1</th><th>設問2</th></tr>
<tr><td>191.9　kN</td><td>オ</td></tr>
</table>
</td></tr>
<tr><td>6</td><td>
<table>
<tr><th>設問1</th><th>設問2</th></tr>
<tr><td>70,000　shots</td><td>4.9　sec/shot</td></tr>
</table>
</td></tr>
<tr><td>7</td><td>
<table>
<tr><th rowspan="2">設問1</th><th rowspan="2">設問2</th><th colspan="3">設問3</th></tr>
<tr><th>1</th><th>2</th><th>3</th></tr>
<tr><td>ウ</td><td>エ</td><td>エ</td><td>コ</td><td>ウ</td></tr>
</table>
</td></tr>
<tr><td>8</td><td>
<table>
<tr><th>設問1</th><th>設問2</th><th>設問3</th></tr>
<tr><td>77.8　%</td><td>10,385.5　kg</td><td>41.5　%</td></tr>
</table>
</td></tr>
</table>

令和５年度　２級　学科試験正解表
プラスチック成形（射出成形作業）

真偽法

番号	1	2	3	4	5
正解	×	×	×	×	○

番号	6	7	8	9	10
正解	○	×	○	○	×

番号	11	12	13	14	15
正解	×	×	×	×	○

番号	16	17	18	19	20
正解	×	×	○	○	○

番号	21	22	23	24	25
正解	○	○	○	○	×

択一法

番号	1	2	3	4	5
正解	ハ	イ	ハ	ロ	イ

番号	6	7	8	9	10
正解	イ	ニ	ニ	ハ	ロ

番号	11	12	13	14	15
正解	ハ	ロ	ハ	イ	イ

番号	16	17	18	19	20
正解	ニ	イ	ハ	ニ	ロ

番号	21	22	23	24	25
正解	イ	ロ	ハ	ロ	ハ

令和４年度　２級　学科試験正解表
プラスチック成形（射出成形作業）

真偽法

番号	1	2	3	4	5
正解	○	○	×	○	○

番号	6	7	8	9	10
正解	○	○	×	×	○

番号	11	12	13	14	15
正解	×	○	×	×	○

番号	16	17	18	19	20
正解	×	○	○	×	○

番号	21	22	23	24	25
正解	×	×	○	×	○

択一法

番号	1	2	3	4	5
正解	ニ	ハ	ハ	ニ	イ

番号	6	7	8	9	10
正解	ハ	イ	ロ	ハ	ロ

番号	11	12	13	14	15
正解	ロ	ハ	ニ	ハ	ニ

番号	16	17	18	19	20
正解	ハ	ニ	ニ	ハ	ハ

番号	21	22	23	24	25
正解	ロ	イ	ハ	ロ	ロ

令和３年度　２級　学科試験正解表
プラスチック成形（射出成形作業）

真偽法

番号	1	2	3	4	5
正解	○	×	×	○	×

番号	6	7	8	9	10
正解	○	○	×	×	×

番号	11	12	13	14	15
正解	○	×	○	○	○

番号	16	17	18	19	20
正解	×	×	○	○	×

番号	21	22	23	24	25
正解	○	○	○	×	×

択一法

番号	1	2	3	4	5
正解	ニ	ハ	ハ	ロ	ロ

番号	6	7	8	9	10
正解	ロ	ハ	ニ	ロ	ニ

番号	11	12	13	14	15
正解	ロ	ロ	ハ	ニ	ハ

番号	16	17	18	19	20
正解	ロ	ニ	ニ	ニ	イ

番号	21	22	23	24	25
正解	ニ	ニ	イ	ロ	ロ

令和５年度　１級　学科試験正解表
プラスチック成形（射出成形作業）

真偽法

番号	1	2	3	4	5
正解	×	×	○	×	×

番号	6	7	8	9	１０
正解	×	×	○	○	○

番号	１１	１２	１３	１４	１５
正解	○	○	○	×	○

番号	１６	１７	１８	１９	２０
正解	○	×	○	○	○

番号	２１	２２	２３	２４	２５
正解	×	○	×	○	○

択一法

番号	1	2	3	4	5
正解	ニ	ロ	イ	イ	ロ

番号	6	7	8	9	１０
正解	イ	ロ	ロ	ロ	ニ

番号	１１	１２	１３	１４	１５
正解	ロ	ロ	ニ	ロ	ロ

番号	１６	１７	１８	１９	２０
正解	イ	ハ	ハ	イ	イ

番号	２１	２２	２３	２４	２５
正解	イ	イ	ロ	ニ	ニ

令和４年度　１級　学科試験正解表
プラスチック成形（射出成形作業）

真偽法

番号	1	2	3	4	5
正解	×	○	○	×	○

番号	6	7	8	9	１０
正解	○	○	○	○	○

番号	１１	１２	１３	１４	１５
正解	×	×	×	○	○

番号	１６	１７	１８	１９	２０
正解	×	×	○	×	×

番号	２１	２２	２３	２４	２５
正解	×	○	○	×	○

択一法

番号	1	2	3	4	5
正解	ハ	ロ	イ	イ	ハ

番号	6	7	8	9	１０
正解	イ	ロ	ニ	イ	ロ

番号	１１	１２	１３	１４	１５
正解	イ	イ	ハ	イ	ニ

番号	１６	１７	１８	１９	２０
正解	ロ	ハ	ハ	ニ	ニ

番号	２１	２２	２３	２４	２５
正解	ロ	ロ	イ	ニ	ニ

令和３年度　１級　学科試験正解表
プラスチック成形（射出成形作業）

真偽法

番号	1	2	3	4	5
正解	X	○	X	○	○

番号	6	7	8	9	10
正解	○	X	○	X	○

番号	11	12	13	14	15
正解	○	○	X	X	○

番号	16	17	18	19	20
正解	○	○	○	○	X

番号	21	22	23	24	25
正解	X	○	○	X	X

択一法

番号	1	2	3	4	5
正解	ハ	ニ	ロ	ニ	ロ

番号	6	7	8	9	10
正解	ハ	ニ	ニ	ハ	ハ

番号	11	12	13	14	15
正解	ニ	ニ	ロ	ハ	ニ

番号	16	17	18	19	20
正解	イ	ロ	ニ	イ	ニ

番号	21	22	23	24	25
正解	ハ	イ	ハ	ニ	ハ

令和５年度　２級　学科試験正解表
プラスチック成形（インフレーション成形作業）

真偽法

番号	１	２	３	４	５
正解	×	×	×	×	○

番号	６	７	８	９	１０
正解	×	○	○	×	○

番号	１１	１２	１３	１４	１５
正解	○	○	×	×	×

番号	１６	１７	１８	１９	２０
正解	○	○	×	×	○

番号	２１	２２	２３	２４	２５
正解	○	○	○	○	○

択一法

番号	１	２	３	４	５
正解	ロ	ロ	ハ	ロ	ニ

番号	６	７	８	９	１０
正解	イ	イ	ロ	ロ	ロ

番号	１１	１２	１３	１４	１５
正解	イ	ニ	ロ	イ	イ

番号	１６	１７	１８	１９	２０
正解	ハ	ニ	ニ	ハ	イ

番号	２１	２２	２３	２４	２５
正解	ハ	ハ	ロ	ロ	ロ

令和４年度　２級　学科試験正解表
プラスチック成形（インフレーション成形作業）

真偽法

番号	１	２	３	４	５
正解	○	○	×	○	○

番号	６	７	８	９	１０
正解	○	×	×	○	×

番号	１１	１２	１３	１４	１５
正解	×	×	○	○	○

番号	１６	１７	１８	１９	２０
正解	○	○	×	○	×

番号	２１	２２	２３	２４	２５
正解	○	×	○	○	○

択一法

番号	１	２	３	４	５
正解	ハ	ハ	ハ	ロ	ロ

番号	６	７	８	９	１０
正解	ニ	ニ	ハ	ニ	ハ

番号	１１	１２	１３	１４	１５
正解	イ	ハ	ロ	ハ	ニ

番号	１６	１７	１８	１９	２０
正解	ニ	イ	ロ	ロ	ハ

番号	２１	２２	２３	２４	２５
正解	ハ	ハ	ロ	ニ	ハ

令和３年度　２級　学科試験正解表
プラスチック成形（インフレーション成形作業）

真偽法

番号	1	2	3	4	5
正解	○	X	X	○	X

番号	6	7	8	9	10
正解	○	○	○	X	X

番号	11	12	13	14	15
正解	X	X	○	X	X

番号	16	17	18	19	20
正解	○	X	X	○	○

番号	21	22	23	24	25
正解	X	○	○	X	○

択一法

番号	1	2	3	4	5
正解	ロ	イ	ロ	ロ	ニ

番号	6	7	8	9	10
正解	ロ	イ	ロ	ニ	ロ

番号	11	12	13	14	15
正解	ニ	ロ	ニ	イ	ハ

番号	16	17	18	19	20
正解	ハ	ロ	ロ	ロ	イ

番号	21	22	23	24	25
正解	ロ	ロ	ハ	ニ	ハ

令和５年度　１級　学科試験正解表
プラスチック成形（インフレーション成形作業）

真偽法

番号	1	2	3	4	5
正解	X	X	○	X	X

番号	6	7	8	9	10
正解	X	X	○	○	○

番号	11	12	13	14	15
正解	○	○	○	○	X

番号	16	17	18	19	20
正解	X	○	X	○	○

番号	21	22	23	24	25
正解	X	○	X	○	○

択一法

番号	1	2	3	4	5
正解	ハ	ロ	ニ	ロ	ロ

番号	6	7	8	9	10
正解	ロ	ハ	イ	ロ	ハ

番号	11	12	13	14	15
正解	ニ	ニ	ニ	ニ	イ

番号	16	17	18	19	20
正解	ニ	ロ	ロ	ロ	ニ

番号	21	22	23	24	25
正解	ニ	ハ	イ	ロ	ニ

令和４年度　１級　学科試験正解表
プラスチック成形（インフレーション成形作業）

真偽法

番号	1	2	3	4	5
正解	X	○	○	X	○

番号	6	7	8	9	10
正解	○	○	X	X	X

番号	11	12	13	14	15
正解	X	○	○	○	X

番号	16	17	18	19	20
正解	X	○	X	○	X

番号	21	22	23	24	25
正解	○	○	X	○	○

択一法

番号	1	2	3	4	5
正解	ハ	ロ	ニ	ニ	イ

番号	6	7	8	9	10
正解	イ	イ	ニ	ロ	ニ

番号	11	12	13	14	15
正解	ニ	ロ	ハ	イ	イ

番号	16	17	18	19	20
正解	ハ	ニ	ハ	ハ	ニ

番号	21	22	23	24	25
正解	ハ	ハ	ニ	ニ	ニ

令和３年度　１級　学科試験正解表
プラスチック成形（インフレーション成形作業）

真偽法

番号	1	2	3	4	5
正解	X	○	X	○	○

番号	6	7	8	9	10
正解	○	X	X	○	○

番号	11	12	13	14	15
正解	○	X	○	○	○

番号	16	17	18	19	20
正解	○	X	X	X	○

番号	21	22	23	24	25
正解	○	X	X	○	○

択一法

番号	1	2	3	4	5
正解	ハ	ニ	イ	ロ	ニ

番号	6	7	8	9	10
正解	イ	イ	ロ	ニ	イ

番号	11	12	13	14	15
正解	イ	ロ	ロ	ニ	ニ

番号	16	17	18	19	20
正解	ハ	ハ	ハ	ロ	イ

番号	21	22	23	24	25
正解	ハ	ニ	ハ	ロ	イ

令和５年度　２級　学科試験正解表
プラスチック成形（真空成形作業）

真偽法

番号	1	2	3	4	5
正解	X	X	X	X	○

番号	6	7	8	9	10
正解	X	○	○	○	○

番号	11	12	13	14	15
正解	○	○	X	○	X

番号	16	17	18	19	20
正解	○	○	X	X	○

番号	21	22	23	24	25
正解	○	○	X	○	○

択一法

番号	1	2	3	4	5
正解	ニ	イ	ニ	イ	ロ

番号	6	7	8	9	10
正解	イ	ロ	ハ	ニ	ロ

番号	11	12	13	14	15
正解	イ	ニ	ロ	イ	ニ

番号	16	17	18	19	20
正解	ニ	イ	ニ	ロ	ハ

番号	21	22	23	24	25
正解	ロ	ロ	イ	イ	ロ

令和４年度　２級　学科試験正解表
プラスチック成形（真空成形作業）

真偽法

番号	1	2	3	4	5
正解	○	X	X	○	○

番号	6	7	8	9	10
正解	X	○	X	○	○

番号	11	12	13	14	15
正解	X	X	X	X	○

番号	16	17	18	19	20
正解	X	○	X	X	○

番号	21	22	23	24	25
正解	○	X	○	○	X

択一法

番号	1	2	3	4	5
正解	ハ	ハ	ニ	ロ	イ

番号	6	7	8	9	10
正解	ロ	ハ	イ	ロ	イ

番号	11	12	13	14	15
正解	ロ	ニ	イ	ニ	ロ

番号	16	17	18	19	20
正解	ニ	イ	ハ	イ	ハ

番号	21	22	23	24	25
正解	イ	ロ	イ	ニ	ハ

令和３年度　２級　学科試験正解表
プラスチック成形（真空成形作業）

真偽法

番号	1	2	3	4	5
正解	○	X	X	○	X

番号	6	7	8	9	10
正解	○	○	X	○	○

番号	11	12	13	14	15
正解	X	X	○	○	X

番号	16	17	18	19	20
正解	○	○	X	○	X

番号	21	22	23	24	25
正解	○	○	X	○	○

択一法

番号	1	2	3	4	5
正解	ロ	ニ	ニ	ハ	ニ

番号	6	7	8	9	10
正解	ニ	ロ	イ	ニ	ハ

番号	11	12	13	14	15
正解	ハ	ハ	ニ	ニ	ロ

番号	16	17	18	19	20
正解	ロ	ニ	ハ	ニ	イ

番号	21	22	23	24	25
正解	ロ	イ	イ	ハ	ロ

令和５年度　１級　学科試験正解表
プラスチック成形（真空成形作業）

真偽法

番号	１	２	３	４	５
正解	×	×	○	×	×

番号	６	７	８	９	１０
正解	×	○	×	×	×

番号	１１	１２	１３	１４	１５
正解	○	○	×	○	○

番号	１６	１７	１８	１９	２０
正解	○	○	○	○	×

番号	２１	２２	２３	２４	２５
正解	○	○	○	×	○

択一法

番号	１	２	３	４	５
正解	ロ	ハ	ハ	イ	ハ

番号	６	７	８	９	１０
正解	ニ	イ	ハ	ロ	イ

番号	１１	１２	１３	１４	１５
正解	ニ	ロ	ハ	ニ	ハ

番号	１６	１７	１８	１９	２０
正解	ハ	ロ	ハ	ハ	ニ

番号	２１	２２	２３	２４	２５
正解	イ	ハ	イ	ハ	ロ

令和４年度　１級　学科試験正解表
プラスチック成形（真空成形作業）

真偽法

番号	１	２	３	４	５
正解	○	○	○	×	○

番号	６	７	８	９	１０
正解	○	×	○	○	×

番号	１１	１２	１３	１４	１５
正解	×	×	○	○	○

番号	１６	１７	１８	１９	２０
正解	○	○	×	×	○

番号	２１	２２	２３	２４	２５
正解	○	×	○	×	○

択一法

番号	１	２	３	４	５
正解	ニ	ハ	ロ	ロ	ロ

番号	６	７	８	９	１０
正解	ハ	ハ	イ	イ	イ

番号	１１	１２	１３	１４	１５
正解	ロ	イ	ロ	イ	ロ

番号	１６	１７	１８	１９	２０
正解	ハ	ハ	ニ	イ	ロ

番号	２１	２２	２３	２４	２５
正解	ハ	イ	イ	ニ	ロ

令和３年度　１級　学科試験正解表
プラスチック成形（真空成形作業）

真偽法

番号	1	2	3	4	5
正解	X	○	X	○	○

番号	6	7	8	9	10
正解	X	X	○	○	X

番号	11	12	13	14	15
正解	X	X	X	X	X

番号	16	17	18	19	20
正解	○	○	○	○	○

番号	21	22	23	24	25
正解	○	X	X	○	○

択一法

番号	1	2	3	4	5
正解	ニ	イ	ロ	ハ	イ

番号	6	7	8	9	10
正解	ハ	ニ	ロ	ロ	ニ

番号	11	12	13	14	15
正解	ハ	ハ	ハ	ニ	ハ

番号	16	17	18	19	20
正解	ニ	ニ	ロ	ハ	イ

番号	21	22	23	24	25
正解	ハ	ロ	ロ	ニ	ハ

・本書掲載の試験問題及び解答の内容についてのお問い合わせには、応じられませんのでご了承ください。
・その他についてのお問い合わせは、電話ではお受けしておりません。お問い合わせの場合は、内容、住所、氏名、電話番号、メールアドレス等を明記のうえ、郵送、FAX、メール又はWebフォームにてお送りください。
・試験問題について、都合により一部、編集しているものがあります。

令和3・4・5年度
1・2級 技能検定　試験問題集　89　プラスチック成形

令和6年4月　初版発行

監　修　中央職業能力開発協会

発　行　一般社団法人 雇用問題研究会
〒103-0002　東京都中央区日本橋馬喰町1-14-5 日本橋Kビル2階
TEL　03-5651-7071(代)　FAX　03-5651-7077
URL　http://www.koyoerc.or.jp

印　刷　株式会社ワイズ

223089

ISBN978-4-87563-688-5 C3000